PHILIPPE BESSON

Philippe Besson est né le 29 janvier 1967 à Barbezieux, en Charente. Son premier roman, *En l'absence des hommes*, est salué par la critique dès sa parution et reçoit le prix Emmanuel-Roblès, décerné par l'académie Goncourt. Son deuxième roman, *Son frère*, est porté à l'écran par Patrice Chéreau dont le film a été récompensé par l'Ours d'argent au Festival de Berlin. En 2002, *L'arrière-saison*, inspiré d'un tableau d'Edward Hopper, est couronné par le Grand Prix RTL-Lire. Ses deux derniers livres, *Un garçon d'Italie* et *Les jours fragiles* ont rencontré un grand succès. Ils ont également séduit les cinéastes et sont actuellement en cours d'adaptation.
Les romans de Philippe Besson sont traduits en allemand, anglais, chinois, espagnol, grec, italien, japonais, lituanien, néerlandais, polonais et en tchèque.

UN GARÇON D'ITALIE

DU MÊME AUTEUR
CHEZ POCKET

EN L'ABSENCE DES HOMMES
SON FRÈRE
L'ARRIÈRE-SAISON

PHILIPPE BESSON

UN GARÇON D'ITALIE

JULLIARD

ISBN 2-266-13606-2

Je sus dès lors que mes dernières forces seraient dépensées à tenter d'accepter cette mort, sachant toutefois qu'une mort toute crue ne se peut accepter. De là venaient mes brusques efforts de dignité, cette fatigue infiniment continuée, affolée, désordonnée, sans visage : le refus de nous avouer vaincus.

Arnaud CATHRINE,
Les Yeux secs

Livre Un

Pourquoi mourir ? Jamais je n'ai été aussi vivant que maintenant, jamais aussi adolescent

Cesare PAVESE,
Le Métier de vivre

Le cadavre de Luca Salieri a été retrouvé aux premières heures de la matinée, ce vingt-trois septembre, échoué sur la rive gauche de l'Arno, en contrebas du ponte Santa Trinita. Le corps était aux trois quarts immergé dans les eaux boueuses du fleuve, calmes à cet endroit, de sorte qu'il n'était que légèrement ballotté. Le visage reposait contre la terre ocre et sablonneuse, la joue exposée à la vue était dissimulée par la chevelure humide. Lorsque les carabiniers ont retourné la carcasse du mort, ils ont constaté qu'une pourriture verdâtre recouvrait la partie droite de la face.

Luca Salieri avait vingt-neuf ans. Sa disparition avait été signalée deux jours plus tôt par sa compagne, Anna Morante.

Le cadavre de Luca Saletta a été retrouvé aux premières heures de la matinée, ce vingt-trois septembre, échoué sur la rive gauche de l'Arno, en contrebas du ponte Santa Trinita. Le corps était aux trois quarts immergé dans les eaux boueuses du fleuve, calmes à cet endroit, de sorte qu'il n'était que légèrement ballotté. Le visage reposait contre la terre ocre et sablonneuse, la joue exposée à la vue était dissimulée par la chevelure humide. Lorsque les carabiniers ont retourné la carcasse du mort, ils ont constaté qu'une pourriture verdâtre recouvrait la partie droite de la face.

Luca Saletta avait vingt-deux ans. Sa disparition avait été signalée deux jours plus tôt par sa compagne, Anna Morante.

Luca

Elle a une bonne odeur, cette glaise. Elle me rappelle celle qu'on respirait dans l'atelier de mon grand-père, tandis qu'il faisait tourner ses pots autour de ses mains ou qu'il façonnait des figures, relevait des pommettes, agrandissait des yeux, creusait des narines, profilait des nez, aplatissait des fronts, étirait des lèvres, bombait des mentons. Oui, c'est la même odeur du travail artisanal bien fait.

Dans l'enfance, je pouvais passer des heures au milieu de son atelier, à seulement le regarder sculpter la matière, tenter de la dompter, lui donner une forme humaine. J'étais impressionné par ça, cette humanité qui surgissait peu à peu de la masse informe. Et voilà qu'aujourd'hui c'est l'humanité, la mienne, qui s'en retourne à la terre, voilà que c'est mon visage qui s'imprime dans la boue, qui s'enfonce, qui perd sa consistance.

C'est une sensation fraîche et agréable, ce délitement. Il y a du plaisir à devenir de la bouillie.

J'ignorais que c'était ainsi, être mort. J'imaginais bêtement que c'était une chose dure, que tous les cadavres étaient raides, et j'apprends que c'est une chose molle, spongieuse. Vrai, je ne regrette pas.

Une chance : l'eau n'est pas trop froide, comme un legs de l'été qui vient de s'achever. Elle n'est pas propre, bien sûr, et parfois capricieuse, mais elle procure une sensation douce contre la peau, comme une caresse. Le reflux me berce un peu. Dans mon oreille droite, j'entends un léger clapotis. Je voudrais que ça n'en finisse pas, ce bercement.

Qui sont-ils, ces hommes en uniforme qui s'approchent de moi, avec une expression étonnée et sérieuse à la fois, dont les bouches se déforment étrangement sans qu'aucun son n'en sorte, qui posent leurs mains sur leurs hanches, qui soulèvent leurs képis pour chercher une réponse qu'apparemment ils ne trouveront pas ? Qui sont-ils, avec leur autorité grotesque, leur savoir d'ignorants, leurs gestes mécaniques mais maladroits ? Ils paraissent me contempler comme une énigme. Je suis pourtant un jeune homme ordinaire.

Qu'ont-ils à me photographier, à prendre mes dimensions, comme s'ils préparaient l'achat de mon cercueil, à se contorsionner pour m'observer sous toutes les coutures, à griffonner des notes sur des carnets à petits carreaux ?

Eh quoi ? Ils s'emparent de moi. Ils agrippent mon bras. Mais pourquoi s'autorisent-ils une chose pareille, pourquoi commettent-ils un acte aussi sacrilège ? Je ne leur ai rien permis, et surtout pas de me toucher. En plus, ils ont de grosses mains. Je n'aime pas les grosses mains, les doigts boudinés, les peaux grasses.

Ils sont bien avancés, maintenant que je suis étendu sur le dos. Je sens l'eau du fleuve contre ma nuque, mes trop longs cheveux que le courant entraîne, et l'une de mes joues me gratte. Ils ont l'air content, toutefois, satisfait.

Tout de même, il y en a un qui fait une drôle de tête. Je l'aperçois, qui est tout pâle, qui détourne les yeux, qui a une sorte de haut-le-cœur. Vous allez voir que, si on n'y prend garde, il va vomir ou défaillir. Mais que quelqu'un fasse donc attention à lui ! Non. il reprend des couleurs, il pivote vers moi, il a son regard bien droit, bien dur, mais je devine qu'il est au bord de pleurer. Pauvre carabinier : je te fais donc tellement peur ?

Anna

On m'a appelée. La police. Au téléphone, la voix qui m'a parlé était neutre, calme. J'ai entendu les mots : « noyé, cadavre, signalement, supposition ».

À la fin, on m'a communiqué une adresse et on m'a demandé de venir, « sans délai », pour « reconnaître le corps ».

Je ne suis plus tout à fait certaine de la dernière formule mais c'était une expression de ce genre, quelque chose qui avait une sonorité administrative alors qu'elle aurait pu être empruntée au langage amoureux.

Maintenant, je suis devant eux, les gens de la police.

Tout d'abord, je ne comprends pas ce qu'ils attendent de moi. On dirait qu'ils tiennent à s'assurer de mon identité. De mon état mental aussi. À leurs questions indiscrètes, je réponds au hasard.

Comme je ne les suis pas dans la pièce qu'ils m'indiquent d'un simple coup d'œil, avec une expression contrite quand même, ou alors fatiguée, ils parlent plus fort, presque avec brusquerie. Ils me crient un ordre. Du moins, je crois qu'ils crient parce que tous les mots résonnent très fort entre mes tempes. Peut-être se contentent-ils de hausser la voix ? Je ne sais plus ce qui est réel et ce que j'invente.

Je leur emboîte le pas. La pièce où je pénètre est très grande, froide, propre, calme. Vert et blanc, il me semble. Pas des couleurs agressives, en tout cas. Plutôt des tons pastel. Dans une heure, j'aurai tout oublié, je ne serai plus sûre de rien.

Une table dans un coin de la pièce, une table roulante, je vois très nettement les roulettes. Une armature en métal. Et, sur la table, une masse informe recouverte d'un drap. Blanc, le drap, mais pas comme ceux de ma mère, plutôt comme ceux d'un hôpital. D'ailleurs, j'aperçois un liseré rouge, sur le côté qui pend vers moi.

Ils m'interrogent à nouveau, pour savoir si ça va. Je hoche la tête, ce qui doit signifier : oui. Ils n'ont pas l'air de me croire. Pourtant, je tiens bon sur mes jambes. Je tremble bien un peu mais la pièce est si froide.

Ils me préviennent qu'ils vont soulever le drap, qu'il va me falloir du courage, que le corps a séjourné longtemps dans l'eau, que la putréfaction et le gonflement l'ont déformé. Leurs mots me parviennent comme amortis. Ils paraissent lointains, irréels.

Je baigne dans une atmosphère cotonneuse. Je me sens étrangement protégée.

Le drap se soulève et je reçois, d'un coup, comme un fardeau, le visage, la pourriture sur la joue, les paupières bouffies, la peau craquelée par endroits, les veines éclatées, la blancheur verdâtre comme celle de la pièce. Le doute n'est absolument pas permis. Il s'agit bien de Luca.

Il me semble qu'il me sourit. Alors, je lui adresse un sourire en retour. Je ne peux pas m'en empêcher. Les policiers n'ont pas l'air de comprendre ce sourire. Ils pensent que je suis folle, à coup sûr.

Ou coupable de meurtre.

L'odeur de mort du cadavre en décomposition efface mon sourire. Je chancelle, à cause de cette puanteur. L'un des hommes me saisit par le bras, me soutient, me demande si je souhaite m'asseoir. Je n'ai pas de volonté particulière. Je n'en exprime donc aucune.

Leo

Pas de nouvelles de Luca, depuis bientôt une semaine. Son portable est, en permanence, déconnecté : je tombe directement sur sa messagerie. Je ne laisse pas de message : il me l'a interdit et il m'arrive d'être obéissant.

Ça ne lui ressemble pas tellement, ce silence. Je sais tout ou presque de ses lâchetés, de ses petits arrangements et de ses grands renoncements, mais il finit toujours par rappeler avec une voix faussement détendue, ou par rappliquer, la queue entre les jambes, notre bel ombrageux. C'est rare que ses fugues durent aussi longtemps.

Je pourrais m'inquiéter, évidemment, mais c'est ça qui n'est pas mon genre. Et puis, je ne suis pas sa mère. S'il veut me foutre les jetons, c'est raté. Je ne vais quand même pas me jeter sous les rails parce que le monsieur ne donne pas de ses nouvelles pendant quelques jours. Ce serait mal me connaître.

Alors, plutôt que de me jeter dessous, je les regarde, les rails. Je regarde les trains partir ou arriver. Je regarde la rouille. J'ai toujours aimé ça, moi, la rouille.

Mes journées se passent ici, à la gare.

Je suis debout, au plus près des tubulures de rouille, au pied de structures en fer, dans le vent qui s'engouffre par la verrière ébréchée. J'observe la saleté de la gare de Florence, cette saleté que les gens laissent derrière eux, celle que les courants d'air transportent. Je respire les odeurs de friture, d'urine et de combustible mélangées. Je vois l'épaisse couche grise qui recouvre tout, qui finit par se déposer sur les peaux. Je regarde les journaux qui s'envolent, les poubelles qui débordent, les papiers de sandwiches qui jonchent le sol, ce désordre laissé par les hommes. Il est malsain, sans doute, ce goût pour la laideur ordinaire.

Je suis familier avec l'urgence de la gare, le mouvement permanent, les gens qui courent pour attraper un train en partance, ceux qui s'affolent, ceux qui ont hâte d'en finir, de rentrer chez eux, ceux qui se trompent, qui passent et repassent à la recherche de « leur » quai, d'une indication qui les sauverait, ceux qui marchent le nez en l'air sans rien apercevoir de ceux qui marchent juste à côté d'eux, souvent au même pas qu'eux, la solitude étrange de ceux-là que tant d'autres entourent, touchent.

Je regarde des gens qui se croisent, qui se frôlent, qui sont proches les uns des autres pour la seule fois de leur existence sans doute. J'assiste à des rencontres qui n'en sont pas, à des intimités très brèves qui précèdent des séparations définitives.

Un jour, Luca s'est extrait de cette foule indistincte et s'est dirigé vers moi. Oui, il est venu vers moi, d'un pas assuré, avec une expression très calme. J'ai été frappé par cette confiance en soi, qui ressemblait à une promesse, que je n'ai pas vue comme une arrogance. Les cheveux étaient longs, ils lui tombaient sur les épaules. Le visage était celui d'un christ égaré dans un film de Pasolini.

Quand il a été à ma hauteur, il a juste dit : « Mon nom est Luca. »

Il ferait bien de m'appeler.

Luca

Il tourne autour de moi. C'est un homme sans âge, peau vérolée, grosses lunettes, gouttes de sueur sur le front, une odeur d'ail dans la bouche. Il est affublé d'un bonnet ridicule, vert olive. Le tissu, on dirait du papier. Il porte une blouse, du même tissu que le bonnet, qui me rappelle les coupe-vent qu'on distribue gratuitement dans les parcs d'attractions. Derrière son crâne, accrochés au plafond, trois ronds de lumière blanche, trois soleils réunis, qu'on ne peut pas regarder en face, et qui diffusent une chaleur artificielle, dans laquelle virevolte de la poussière en suspension. Nous ne sommes que tous les deux, dans cet endroit irréel. Et il tourne autour de moi.

Cela ne s'apparente pas à un pas de danse, l'homme n'est pas assez gracieux. C'est plutôt un round d'observation, comme si nous devions nous préparer à un combat. Mais moi je ne tourne pas, je reste immobile, étendu sur un lit de métal. D'ailleurs, je sens le froid du métal contre mon dos. Mes bras sont soigneusement alignés contre mes flancs. Mes cheveux sont remontés pour dégager mon cou. Je suis entièrement nu. Par endroits, sur mon corps, je remarque des boursouflures, des égratignures, des ecchymoses. Et, toujours, ma joue me gratte. Pourquoi l'homme tourne-t-il autour de moi, qui suis nu sur un lit ?

Pas question de coucher avec un type pareil. S'il a des intentions malhonnêtes, je hurle, j'appelle au secours. Il doit bien y avoir de bons samaritains dans les parages, qui viendraient me délivrer. Et toujours les trois soleils, la poussière en suspension, le vert olive.

Il prend des notes. Je vous assure que celui-ci aussi, il prend des notes. Il griffonne sur une feuille accrochée à un support rigide, qui a la consistance du bois, qui est noirci sur les côtés, là où les doigts se posent. C'est évident qu'il écrit des choses à mon sujet. Et c'est agaçant, tout de même, d'être posé comme ça, de ne pas être capable de bouger et de devoir supporter les regards cliniques de ce gros martien. Que peut-il bien noter ? La taille de mon sexe ? La saleté de mes ongles ? La longueur de la cicatrice léguée par un accident de moto ? Quoi ? Si je n'étais pas paralysé, sûr que je les enverrais valdinguer, lui et ses feuilles de papier.

Il a remisé ses notes et il revient vers moi, muni, cette fois, d'une sorte de scalpel. C'est presque incroyable : un scalpel ! Et là, sans rien dire, il dépose son scalpel à hauteur de mon sternum et, d'un coup sec, le fait glisser jusqu'aux poils de mon pubis. Comme je ne peux pas incliner la tête, je ne vois rien, mais je sens nettement un picotement. Ce type est tout bonnement en train de m'ouvrir, de me découper. Son intention est-elle de me débiter en petits morceaux ?

Il continue avec application. C'est un persévérant, notre martien. Il coupe, tranche, extrait, fourrage, soulève, plonge, replace ce qu'il déplace, coupe encore, taille, décolle, repose. La lame est fine, affûtée, agile. Elle me chatouille un peu.

Je suis juste indisposé par la puanteur de mes viscères, par l'abominable parfum de mes intestins retournés. Je pense aux roses que j'ai laissées dans leur vase, sur la table du séjour, en partant. Anna me les avait apportées. Elle m'avait dit avoir été tentée par des tulipes aperçues sur le marché, en bas de chez moi, mais les tulipes ne sentent rien. Je pense aux fleurs qui n'ont pas d'odeur.

Le boucher se rappelle à mon bon souvenir. Voilà qu'il a saisi du fil et une aiguille et entrepris de me recoudre. Je sens le fil qui court le long des plaies ouvertes, pour les rapprocher, les refermer. Autant le découpage m'avait paru maîtrisé, autant le rabibochage est conduit à la va-vite. À quoi vais-je ressembler, moi, à la fin, avec mes coutures mal foutues, mes jointures scellées en dépit du bon sens ?

Je pourrais apprendre au gros homme que tout ça ne m'a même pas fait mal mais je n'ai pas franchement envie d'entamer une conversation. Après tout, il fait ce qu'il a à faire. Simplement, s'il croit que c'est en inspectant mes entrailles qu'il va percer mes mystères, alors il se trompe lourdement.

Anna

Les parents de Luca et moi, nous avons bien tenté d'empêcher l'autopsie mais ils nous ont affirmé que nous ne pouvions pas nous y opposer, que nous n'en avions pas le droit. Nous les avons crus puisque c'était impossible de faire autrement. Ils ont prétendu qu'on pratiquait toujours une autopsie dans ce genre de décès, que la loi imposait de déterminer les causes exactes de la mort.

Les causes exactes de la mort.

Qu'escomptent-ils trouver, à part de l'eau dans ses poumons déchirés ? Croient-ils qu'on l'a drogué, empoisonné ? Cherchent-ils des traces de cyanure ? Peut-être pensent-ils débusquer les empreintes digitales d'un inconnu qui l'aurait précipité d'un pont pour qu'il aille mourir dans le fleuve ? Les imbéciles, déguisés en enquêteurs ! Le meurtre, évidemment, est une hypothèse absurde.

« Le connaissiez-vous au point de connaître ses ennemis ? »

Il est des questions insidieuses, posées à part

et sur le ton de la confidence, qui sont assenées comme des coups de poignard dans le dos. Oui, je le connaissais bien, très bien, même.

« Il ne vous cachait rien ? »

Non, je ne crois pas. Mais comment en être sûre ?

Ils ont le chic pour introduire le doute, pour donner aux spéculations les plus invraisemblables l'apparence de « pistes de réflexion », pour insinuer la suspicion. Au fond de moi, je suis convaincue que personne ne l'a tué, mais évidemment rien ne me permet de l'affirmer. C'est cela qu'ils me disent : « Vous n'êtes pas en mesure de l'affirmer. L'autopsie pourra précisément nous fournir des renseignements utiles. »

L'autopsie. Une charcuterie.

« Mais vous savez, nous supposons qu'il s'agit d'un simple accident. »

Un simple accident. Toute mon existence saccagée.

« Il a très bien pu tomber d'un pont, ou glisser en se promenant le long du fleuve. Quand nous aurons établi le jour et l'heure exacts du décès, nous pourrons, selon toute vraisemblance, déterminer à quel endroit il s'est noyé. Nous possédons des informations très pointues sur la force des courants, et la composition de la terre charriée par l'Arno. Là encore, l'autopsie sera très précieuse. »

Très précieuse. Seule la vie l'est. Il faut faire attention aux adjectifs.

J'apprends qu'on peut tout connaître, disséquer, que rien ne demeure jamais irrésolu, que les autopsies constituent le bras armé de la vérité.

« Ou bien il s'agit d'un suicide. La présence de substances toxiques dans son organisme serait susceptible de nous éclairer sur ce sujet. »

Une gifle. Je détourne le visage. Je porte la main à ma joue. Il me semble qu'elle est rouge, rougie par la gifle, qu'elle me chauffe. Lorsque je suis enfin capable de regarder les policiers en face, je vois l'éclat métallique dans leurs yeux, un jaillissement de haine pure, l'expression d'une méchanceté indépassable. Impossible de prononcer un mot.

Un suicide. Je crois que je préférerais encore un assassinat.

J'ai cette image : Luca se jetant dans le fleuve, se forçant à demeurer sous l'eau froide, son corps entraîné par le courant, sa tête qui heurte un obstacle, le sang qui s'écoule de sa joue, qui s'évapore comme une fumée dans le liquide sale.

Non, pas un suicide.

Leo

Le con, il est mort !

Et il faut que j'apprenne ça par la rubrique nécrologique de *La Repubblica* !

Un exemplaire traînait, ce matin, sur le comptoir du buffet de la gare. C'est le nom écrit en gras, et détaché des autres noms, que j'ai repéré en premier, qui a attiré mon attention.

Son nom à lui.

« Susanna et Giuseppe Salieri, ses parents, les familles Galgano et Della Chiesa, Anna Morante, sa compagne, ont la douleur de vous faire part du décès de Luca Salieri, survenu dans sa vingt-neuvième année.

« La messe des obsèques sera célébrée le vingt-six septembre à quatorze heures, en l'église Santa Maria del Carmine, piazza del Carmine, Florence.

« L'inhumation aura lieu, le même jour, au cimetière du Trespiano.

« Ni fleurs ni couronnes.

« Le présent avis tient lieu de faire-part. »

Le con !

Je crois que la colère, c'est encore ce qui me permet de rester debout. Sans la colère, je vacillerais. Et je veux tenir bon. Ça cogne, à l'intérieur. J'entends les battements du cœur contre mes tempes, et le sang qui afflue, et la poitrine près d'exploser, et la tête qui fait mal, et les tressaillements des jambes, la nervosité. Je sens qu'il suffirait de très peu pour que les genoux plient. Mais je ne suis pas le genre de type à pratiquer la génuflexion. Ou alors, il faut qu'il y ait quelque chose d'intéressant à laper, juste en face de mon regard.

Je dois garder la fureur, l'énervement. Avec ça, je peux continuer à marcher. Je sautille, les mains dans mes poches. Les lacets de ma capuche viennent fouetter mes joues. J'essaie de relaxer ma nuque, je fais faire des tours à mon cou. Les garçons me font remarquer ma fébrilité mais je ne leur réponds rien. Je leur balance juste un regard très noir, de ceux qui interdisent toute réplique. Alors, ils détournent les yeux vers le sol, ils se raclent la gorge, et moi je continue à sautiller.

Je tire sur une cigarette, la cendre rougit, je mordille le bout filtre. Ne pas chialer. Surtout ne pas chialer.

Tu parles d'une nouvelle ! Je sais bien que j'ai toujours été du côté de l'ombre, que je suis toujours resté en dehors, que personne n'aurait pu songer à me prévenir, mais apprendre ça par le journal, tu avoueras que ça fout les boules.

Sûr que je ne m'attendais pas à ce qu'on m'envoie un faire-part, une jolie enveloppe mortuaire, mais je suppose qu'il y a des façons moins abruptes d'être mis au courant.

En fait, c'est sa mort que je ne peux pas encaisser. Toutes ces divagations à propos de la rubrique dans le journal, c'est juste parce que ça m'évite de revenir à l'essentiel. Et l'essentiel, c'est que je ne le verrai plus. Depuis tout petit, j'ai besoin de dérivatifs.

Qu'est-ce qui a pu lui arriver ? Ils ne disent rien dans *La Repubblica*. Il n'est même pas mentionné « décès accidentel ». Qu'est-ce que je dois penser ? Et qu'est-ce qu'on me propose, à moi, à part la douleur ? Une putain de douleur. Un mal de crâne épouvantable. Et déjà plus de cigarettes. Sandro, qui me tend une des siennes, et qui me l'allume, garde longtemps ses mains près de mon visage, comme s'il voulait les poser, me toucher, me caresser. C'est un geste de protection, de tendresse. Je les regarde, ses mains tendues vers moi, et j'ai envie d'y enfouir mon visage. Évidemment, je me retiens.

Ne pas chialer.

Luca

C'est le même genre de pièce dépouillée, aseptisée, mais, cette fois, pas de gros homme transpirant. La femme qui m'accueille est jeune, trente ans peut-être, son expression est douce, décontractée. Ça devient une habitude de me retrouver tout nu, couché sur une table en fer, exposé aux regards. Mais tant qu'à faire je préfère les yeux verts de celle qui se penche sur moi. J'ai toujours aimé que les jeunes femmes se penchent sur moi.

C'est comme dans un rêve érotique. Elle est vêtue d'une combinaison blanche. Un corsage serré comprime sa poitrine, dessine fermement une ligne au milieu de ses seins, et les fait rebondir. Elle a un grain de beauté sur le sein gauche, je jure que je n'invente rien. Les femmes qui ont des grains de beauté à cet endroit-là, elles ont gagné d'avance, tous les hommes vous le diront.

Elle porte un parfum mâtiné de lavande. En fait, elle sent le savon. Elle sent la douche.

Soudaine envie de prendre une douche avec elle. Poursuite du rêve érotique.

Quand elle soulève le drap qui me recouvre des pieds aux épaules, quand elle aperçoit les cicatrices, les fils emmêlés, les plaies sanguinolentes encore, les croûtes accrochées sur les rebords des béances, les zones tuméfiées, les cloques, les turgescences, elle n'a pas le moindre mouvement de recul. Dans ses yeux, pas le plus petit étonnement, pas de stupeur ni de dégoût. On suppose que c'est une habituée de l'horreur.

Elle enfile des gants en plastique. Elle accroche les élastiques d'un masque de papier derrière ses oreilles. C'est surprenant comme ce geste, qui est celui des salles d'opération, peut être aussi un geste sensuel. Je ne vois plus ses lèvres. Je n'aperçois que le haut de la crête du nez, et les yeux verts, très doux. Une mèche de cheveux tombe sur sa paupière droite. Cette vision me ramène, en une seconde, à Anna. La mèche de cheveux sur les paupières, c'est un moment d'Anna.

La jeune femme pose délicatement sa main gauche sur ma joue. Enfin ! Depuis le temps que ça me gratte ! De sa main restée libre, elle se saisit d'une seringue, qu'elle introduit au plus près de la purulence. Un liquide froid s'insinue sous ma peau, la raffermit en même temps qu'elle la détend. Je sens que je peux avoir confiance en cette magicienne du bistouri.

Pendant plus d'une heure, elle râpe, polit, sculpte, reconstitue, masse, efface, dissimule. À sa disposition, tout un tas d'instruments, de pinceaux, de fluides, d'onguents, de pommades, de poudres. Et, à la fin, un corps tout neuf, débarrassé des balafres, des coutures, des lézardes, des crevasses et des bouffissures. Une apparence presque parfaite, une blancheur presque immaculée.

La jeune femme dispose mes cheveux de sorte qu'ils reposent sur mes épaules. Plus que jamais, je dois ressembler à un christ. Ne manque que la croix. Mais si j'en crois les rendez-vous qui m'attendent, c'est pour bientôt.

Une dernière fois, elle tamponne le pourtour de mes yeux avec un coton. C'est la touche finale. Puis elle retire ses gants, qui claquent dans le silence quasi religieux de la pièce. Elle se recule un peu et me contemple comme on le ferait d'un tableau. Son travail paraît la satisfaire. L'embaumeuse est une artiste.

Anna

Se concentrer sur les tâches les plus administratives, les problèmes les plus matériels, les formalités les plus concrètes. Être pragmatique, organisée, précise. Joindre le journal pour publier une deuxième fois l'avis de décès. Se rapprocher des pompes funèbres qui ont à disposition toutes les questions qu'il convient de se poser et une réponse pour tout : l'embaumement, c'est en cours, les parents de Luca y tiennent, ils veulent voir leur fils intact une dernière fois, que son corps soit montré à la foule dans une virginité retrouvée, comme s'il ne s'était rien passé ; le cercueil, ce sera du chêne, quelque chose de massif, de cossu, de lourd, d'imposant, sans doute un peu tape-à-l'œil, surtout les dorures, mais la famille doit tenir son rang ; les fleurs, non, pas de fleurs, pas de parfums entêtants, qui font s'évanouir, pas cette profusion de blanc qui évoque plutôt les mariages ; la cérémonie, sobre bien sûr, mais avec un sermon émouvant, un prêtre qui saura arracher des larmes, un bon vieux discours plein de catholicisme et de bondieuseries. Le permis d'inhumer ? Oui, nous l'avons récupéré. Les policiers n'ont toujours pas communiqué les résultats de l'autopsie mais ils ont, au moins, délivré le permis. Tout est en ordre. Il ne reste plus qu'à s'écrouler.

Non, il y a encore les déclarations aux assurances, des papiers à remplir, des tonnes de papiers, des signatures à fournir, des autorisations, et tout ce que j'oublie.

Et puis, il y a les gens à prévenir, tout le monde ne lit pas le journal, les amis, les proches, les lointains. Répéter toujours les mêmes phrases : « Luca est mort... Noyé... Oui, terrible... Une tragédie... Oui, si jeune... » Entendre, en retour, toujours les mêmes phrases : « Condoléances... Toute notre sympathie... Si vous avez besoin de quoi que ce soit... Nous assisterons aux obsèques, bien sûr... »

S'écrouler, enfin. Pleurer à chaudes larmes. Pleurer toutes les larmes de son corps, c'est bien comme ça qu'on dit ? Non, c'est encore le téléphone qui sonne, des lettres qui arrivent, des télégrammes. Des fleurs aussi, tout le monde ne lit pas le journal.

Insupportables, les fleurs. Ce sera presque impossible d'en racheter, un jour. Il faudra jeter tous les vases.

Être terrorisée à l'idée de se retrouver seule, dans l'appartement où il n'est plus, d'avancer au milieu du silence, dans les pièces vides. Et, à d'autres moments, sans qu'il s'agisse le moins du monde d'un paradoxe, vouloir être seule, absolument, ne plus s'adresser à quiconque, débrancher le téléphone, fermer les portes à clé, ne plus s'occuper de rien, s'avachir dans le canapé, se laisser tomber, envahir, balayer par le chagrin, par la souffrance. Comprendre ce que signifie l'expression « souffrance pure ».

Alors repartir dans le cirque, rebrancher le téléphone, rouvrir les portes, parler, parlementer, négocier des prix, prévoir tous les détails de l'enterrement, affronter l'hébétude indépassable des parents, mes presque beaux-parents, se montrer courageuse, un vrai petit cheval, sourire parfois, d'un sourire contraint, épuisé, qui retombe aussitôt, faire les choses mécaniquement, parce que quelqu'un doit faire ces choses. Ne pas être seule, s'épargner cette terreur.

Et, à nouveau, réclamer le calme, la paix, se mettre à l'abri du monde.

Un mouvement de balancier qui pourrait rendre folle, et qui a pour seule vertu de me maintenir en vie.

Leo

Je ne peux pas plaider l'innocence de ça, être à la gare, être un garçon de la gare. Je sais ce que je fais. Je pourrais expliquer que je cède à l'ennui, au désœuvrement, mais c'est autre chose : je viens gagner ma vie ici.

Autour de moi, des adolescents encore, corps cassé contre un pilier, cherchent le repos et offrent une promesse. Nous sommes une quinzaine. Je suis un des plus vieux : j'ai vingt-deux ans, bientôt vingt-trois. Nous ne nous parlons pas, nous nous agrégeons, guettant d'être choisis.

La fébrilité des débuts, elle a entièrement disparu. Elle a laissé la place à un petit commerce ordinaire. Les œillades des clients qu'on esquivait les premières semaines, on les provoque maintenant. C'est qu'il faut ramener du fric.

Aux hommes de passage, je demande de me suivre dans les toilettes de la gare. Je marche devant eux, d'une démarche qui s'est assurée avec les années. Je les sens dans mon dos, je sens leur honte, leur précipitation, leur trouille de se faire piquer, d'être reconnus. Je montre une porte d'un seul hochement de tête. Je précise que je n'embrasse pas. Pourtant, je m'en fiche. Le tarif a été fixé dès les premiers mots échangés. L'argent passe de leurs portefeuilles, qu'ils soupèsent en tremblant, à la poche de mon jean. Les hommes glissent le long de mon corps, plongent leurs visages entre mes jambes, dégrafent le pantalon, s'emparent de ma chair. Je suis habitué à leur brusquerie, à leur gaucherie, à leur violence quelquefois. Je sens le rebord de leurs lèvres humides sur ma queue. Ça ne dure pas longtemps, en général, cette scansion maladroite. C'est souvent hâtif, bâclé, risible. Quand les hommes se relèvent, je rajuste mon jean. J'aperçois qu'ils essuient leurs visages, une sueur au front, un résidu au coin de la bouche. Nos regards ne se croisent pas. Ils sortent en premier, toujours. Ils se perdent vraisemblablement très vite dans la foule. J'attends quelques instants avant de quitter les toilettes à mon tour. Ceux qui se tiennent là comprennent ce qui vient de se produire, certains ont même rappliqué exprès pour assister à ce manège. Ils continuent de passer et repasser en silence leurs mains grasses sous le mince filet d'eau d'un lavabo rouillé. Je ne les regarde pas, eux non plus. J'aperçois ma silhouette dans le miroir situé à l'entrée de cet endroit de perdition et de retrouvailles. Je ne m'arrête pas. Je vais reprendre ma place à l'angle de la salle des billets. Personne ne me pose de questions.

C'est presque tout de suite devenu une routine.

Et, un jour, un jeune homme s'est dirigé vers moi, d'un pas décidé. Il avait un air calme, et des cheveux longs qui tombaient sur ses épaules. Il ressemblait à un christ qui se serait égaré dans un film de Pasolini. Il a juste dit : « Mon nom est Luca. » Je ne savais pas alors ce qu'il pouvait bien me vouloir, ni ce qu'il allait m'annoncer.

Il a suffi de quelques mots pour que j'admette que mon existence venait de changer radicalement, que, désormais, rien ne serait plus pareil.

Aujourd'hui, alors que traîne, sur la table basse de cette chambre où il venait quelquefois me retrouver, le numéro de *La Repubblica* qui annonce son décès, je tourne et je retourne cent fois dans ma tête la même question : « Que t'est-il arrivé, Luca Salieri ? » Que t'est-il arrivé pour que je me sente tellement démuni, désemparé, abasourdi ?

Luca

Ils m'ont posé devant l'autel.

Ils m'ont habillé d'un costume sombre, d'une chemise blanche, d'une cravate noire. Ils ont replié mes bras sur mon ventre, ils ont superposé mes mains. Ils ont clos mes paupières, arrangé mes cheveux.

Cela semble simple lorsque je l'énonce ainsi, mais vous n'imaginez pas les contorsions auxquelles j'ai dû me livrer pour simplement enfiler mes vêtements. C'est que tous mes membres sont rigides, tout n'est plus que formol et poudre aux yeux. Là, j'ai l'air détendu mais ils m'ont malmené pour parvenir à ce résultat.

Ma tête repose sur un oreiller de soie. Je pourrais presque m'endormir. Avec mon teint cireux, je ressemble à une image pieuse. Bien sûr, on est un peu à l'étroit dans un cercueil. Pas facile de se mouvoir. Mais ça tombe bien : se mouvoir est impraticable.

Ça sent le frais, le propre, le neuf. Je suis le premier à m'installer dans ce réceptacle. Je serai le dernier. Confort maximal. Et conscience d'un privilège.

Le soleil filtre à travers les vitraux, et vient déposer un peu de rouge, un peu de vert sur ma joue.

Je suis bien installé, rien à redire.

Sur les côtés de mon cercueil, d'immenses chandeliers soutiennent des bougies interminables, qui paraissent ne jamais devoir se consumer tout à fait.

À mes pieds, des bancs de bois alignés comme à l'école. J'aurais dû dire : « comme à l'église », mais je ne me souviens pas des églises.

Du reste, si on m'avait demandé mon avis, j'aurais marqué mon hostilité à ce genre de célébration. Je ne crois en aucun dieu et toute solennité me fait horreur. Mais je sais combien mes parents sont attachés à ce décorum, à ces ors, à cette froideur, et à la tradition. Si un Salieri meurt, c'est qu'il a été rappelé à Dieu. Dans ces conditions, comment s'épargner une telle cérémonie ? Je ne leur en veux pas réellement. Je suppose qu'ainsi ils sont en mesure de commencer à accomplir leur deuil, et qu'ils se sentent moins seuls avec leur chagrin.

Je suis posé devant l'autel. Donc je ne profiterai pas du spectacle, puisqu'il est rare qu'il soit dans la salle. Les mots me parviendront sans que je sache rien de celui qui les émet. On dira mon nom, on racontera mon histoire dans mon dos, on prononcera une homélie, et tout ce que je verrai, ce sera des spectateurs.

Mon seul espoir, c'est qu'il se produise des évanouissements, des crises de larmes, des conversations chuchotées, des œillades discrètes, des quintes de toux, les gazouillis d'un bébé, que des jambes se croisent et se décroisent, que des missels tombent des mains.

Dommage qu'il fasse beau : j'aurais bien aimé aussi le clapotis de la pluie contre les vitraux, le hululement du vent qui cogne aux portes, les frémissements de la nef.

Si je m'ennuie trop, je contemplerai les fresques de la chapelle Brancacci. La vie de saint Pierre en bande dessinée, tout de même, c'est quelque chose. Mais, en réalité, je préfère les représentations du péché originel. Cette faute que nous continuons de payer, elle m'a toujours intéressé. Et le cri silencieux d'Ève chassée du paradis, il m'apparaît tout à coup que cela pourrait être le mien.

Pour chasser mes idées noires, il me restera le visage magnifique de Filippino Lippi, cet autoportrait saisissant. Je suis allé souvent me confronter à ce jeune homme à tête de fille, aux lèvres charnues, au regard hésitant entre timidité et mépris. Je connais par cœur la broussaille des cheveux, la fermeté du nez. Je crois qu'il ne se détourne que pour moi, que c'est moi qu'il observe. Leo lui ressemble.

Anna

Pourquoi n'ai-je pas passé chacune des minutes des derniers jours avec lui, rien qu'avec lui ? Pourquoi ne suis-je pas restée à côté de lui, tout à côté ? Pourquoi suis-je rentrée chez moi et l'ai-je abandonné dans le tiroir de sa chambre froide ? Pourquoi n'ai-je pas profité de toutes les secondes qui m'étaient offertes, et auxquelles plus jamais je n'aurai droit ? Comment ai-je admis de ne pas le contempler, le toucher, alors que je savais qu'il me serait soustrait pour l'éternité ?

C'est là, maintenant précisément, dans cette église, alors que je l'aperçois, étendu en son ultime demeure, que toutes ces questions se bousculent dans ma cervelle, que cette évidence me saute à la figure.

Luca est un corps encore, pas un esprit. Pourquoi ne me suis-je pas emparée de ce corps ? Pourquoi ne l'ai-je pas embrassé, une dernière fois ?

J'aurais supporté la rigidité du cadavre, la

puanteur : je me connais. J'aurais accepté le mutisme, l'immobilité : je les aurais pris avec moi. J'aurais compris qu'il garde les yeux fermés : je me serais souvenue de ses sommeils, de ses endormissements, des matins épuisés, des draps chiffonnés. J'aurais apposé mes doigts sur la peau redevenue miraculeusement lisse et j'aurais éprouvé des picotements.

Comment échappe-t-on à cette folie, la conscience d'avoir gâché le peu de temps qui nous restait à passer ensemble ?

Je me rassure en considérant que le personnel de la morgue m'aurait interdit l'accès à la salle où il était enfermé, mais je n'ai même pas posé la question. Je n'y ai pas songé.

Sur le banc de bois, où on est mal installé, où je me tortille, je suis assaillie, assiégée. Personne ne peut me rejoindre dans cette détresse, cette impuissance, cette misère, le malheur.

Une larme roule sur ma joue. La mère de Luca prend ma main dans la sienne, la serre, la relâche, la serre à nouveau. Notre peine est tout entière dans ces deux mains qui s'étreignent.

C'est le geste de naufragés, de condamnés.

Évidemment.

Nous écoutons l'hommage funèbre qui est rendu. Le prêtre est rond, comme seuls savent l'être les hommes d'Église. Sa panse rebondit sous sa tunique.

Il lève les mains, comme si on le menaçait d'une arme, mais sa tête est penchée vers l'autel : il lit les mots du Christ.

J'entends sa voix, presque monocorde, apaisante en tout cas, ronronnante, une berceuse.

Il nous demande de ne pas nous inquiéter, nous assure qu'il existe une autre vie que celle que nous tâchons de mener sur cette terre, et que les vivants trouvent la tranquillité lorsque leurs disparus les accompagnent.

J'ai envie de croire à son sermon, mais je ne vois que les paupières closes de Luca, son assoupissement trompeur. Je voudrais me laisser emporter par la limpidité de la phrase, mais j'assiste à des funérailles.

Lorsque le père de Luca prend la parole, un frisson parcourt l'assistance. Le corps est long, les mains tremblent, la voix est blanche, les mots viennent du plus profond. L'homme sait se tenir, et il n'est pas dans ses habitudes de se donner en spectacle. Pourtant, on attend l'instant où il va s'effondrer, ne pas pouvoir faire autre chose que cela : s'effondrer. On guette les inéluctables calamités. Mais il demeure debout, il est maintenu debout par une détermination qui le dépasse lui-même. Ceux qui croient en un dieu quelconque entrevoient le bras de ce dieu qui le soutient.

À l'intérieur de l'église, le cœur des hommes s'est figé. Derrière les portes, Florence est là, qui vibre, qui bouillonne, qui respire. Derrière les portes, l'Italie est là, qui nous attend, qui tend ses bras, dans un sourire. Derrière les portes, le monde continue.

Sinon, c'est à devenir folle.

Leo

C'est à peine croyable, cette douceur, alors que l'automne est arrivé. On pourrait ne rien désirer d'autre que cette douceur pour le restant de son existence.

Je suis planté devant la porte de l'église, et je ne la pousse pas. Ils sont tous agglutinés à l'intérieur, je les ai vus entrer tout à l'heure, mais moi je reste au-dehors, dans le soleil, dans la lumière blanche. Je profite de la douceur.

Je suis droit sur mes jambes, les poings dans mes poches. J'ai mis un costume. J'attends quelque chose d'inexprimable, et qui n'adviendra pas.

Je n'ai pas été invité. C'est pour ça que je n'entre pas. Pourtant, je sais que personne ne remarquerait ma présence si je décidais d'assister à la cérémonie. En fait, ce n'est pas juste parce que je n'ai pas été invité.

Depuis toujours, je suis celui qu'on cache, celui qui est interdit de paraître. Je me suis accommodé de ce secret. J'ai même trouvé mon compte à cette dissimulation. Je n'ai pas eu le désir de les rencontrer, tous ces gens de la famille. Je n'ai pas voulu qu'ils me crachent dessus. Surtout que je me serais senti obligé de leur rendre la pareille.

Du coup, c'est idiot, je ne sais même pas pourquoi je me suis trimballé jusqu'ici. Si c'était pour rester dehors, j'aurais pu m'épargner le déplacement. Sans doute que c'était plus fort que moi.

Si j'ai enfilé un costume, moi qui n'en porte jamais, c'est que j'avais accepté d'entrer. Poule mouillée, va.

Qu'on n'aille pas croire que ce sont eux qui me font peur. Non, c'est lui. Lui, Luca.

Histoire de passer mes nerfs, je décide de marcher jusqu'à la piazza della Repubblica et d'aller boire un verre en terrasse du café Gilli. Je commande un Martini, un truc de fille.

Sur le côté droit de la place, j'aperçois l'enseigne de la pensione Pendini qui n'a jamais été retirée, et j'imagine les vieilles Anglaises qui fréquentaient cet établissement autrefois et qui voyageaient en serrant entre leurs doigts recroquevillés un guide Baedeker, à la façon d'une bible. Face à moi, un néon Cinzano entretient la légende de l'Italie qu'on aime. Cette nostalgie qui d'habitude me dégoûte, aujourd'hui, elle me rassure.

À côté de moi, un garçon aux lourdes boucles brunes et aux yeux noirs m'en rappelle un autre, dont la fierté ombrageuse s'était perdue dans une étreinte rapide aux abords de la gare. Il a un grain de beauté à la naissance du cou, un torse maigre, des épaules rondes. Quand il se lève, je remarque le balancement de ses hanches. Pendant qu'on prononce une messe à l'attention de Luca, c'est ce genre de détails qui me permettent de me croire encore du côté des vivants.

Plus tard, sur la piazza della Signoria, au pied du Palazzo Vecchio, le *David* de marbre n'est qu'une copie mais son regard distrait, jeté de son piédestal, et son bras replié comme un symbole de la grâce suffisent à me faire frémir. Il me faut ces moments, qui sont des moments d'éternité, pour ne pas crier.

Sans que je l'aie cherché, mes pas me ramènent aux marches de Santa Maria del Carmine.

La messe est dite. Des femmes et des hommes, habillés de noir, et dont je ne connais pas du tout les visages quittent l'église en rang serré, sans un mot, en s'épaulant, en s'épongeant. Ils passent à côté de moi, sans me voir. Seule une jeune femme m'adresse une œillade. Elle ressemble à celle des photos que Luca m'avait montrées.

Luca

C'est vrai que cette douceur est merveilleuse. Il y a des gens qui rêvent de ce temps-là pour leur mariage. Moi, je l'aurai eu pour mes obsèques.

Ils m'ont transporté jusqu'au cimetière du Trespiano. La route n'a pas été bien longue et les corbillards, de nos jours, disposent de tout le confort moderne. Celui-ci est même équipé d'un système de climatisation. Les morts ne risquent pas d'être indisposés par la chaleur. Ils parviennent à destination frais et dispos.

Lorsqu'on m'extrait de la voiture et que quatre hommes me hissent sur leurs épaules, je me sens divinement bien et le soleil m'est un baume.

La foule est recueillie, à l'évidence. C'est impressionnant, tous ces gens réunis pour moi, et qui me suivent, et qui ont l'air sincèrement ému. Ça n'arrive pas tous les jours.

Allez, il faut bien que je leur jette un coup d'œil, maintenant, et que je cesse de fanfaronner.

Il y a là mes parents, au premier rang. Ils portent un masque de cire, ils sont écrasés par le poids d'un deuil dont ils ne se débarrasseront jamais. Pour eux, tout est fini. Ce qui les attend désormais, c'est juste un enfer ordinaire.

Il y a Anna, aussi, qui se tient à leurs côtés. Sa robe noire lui va bien. Le noir est sa couleur, je le lui ai toujours dit. Elle est là, celle qui ne sera pas ma veuve puisque j'avais répondu non lorsqu'elle m'avait demandé de devenir son mari. Qu'au moins la révélation posthume de mes petits secrets lui soit épargnée.

Il y a un ensemble de têtes que je ne distingue pas les unes des autres, comme sur les peintures de la Renaissance. Quelle est, dans ces têtes, la part du chagrin et celle du devoir ?

Et enfin il y a Leo, que je finis par apercevoir, en retrait de la meute, adossé à un cyprès, à quelques pas en arrière de la cérémonie. C'est bien qu'il soit venu. Mais comment a-t-il appris la nouvelle ? Et où a-t-il dégoté ce costume ridicule ?

Je fanfaronne encore tandis que je suis au bord d'être submergé par l'émotion. Ils sont venus, ils sont tous là, une chanson raconte ça. Dans cette assistance, les deux corps d'Anna et de Leo se détachent, qui pourraient me laisser avec des regrets éternels.

Et puis, cela se termine, sans que j'aie rien vu venir. Deux hommes s'approchent, ils se saisissent du couvercle et referment le cercueil.

C'en est terminé du doux soleil sur ma joue, de la belle lumière, des arbres qui frissonnent. Ne reste que le noir, le noir absolu, indépassable. Ne reste que le grincement d'écrous qu'on visse. Ne reste que le mouvement maladroit du cercueil qu'on descend dans son trou. Ne reste que le claquement sec des cordes qu'on remonte. Ne reste que le choc amorti de la terre qu'on répand sur mon ultime demeure.

Et ce dernier écho, est-ce celui d'une rose qu'on abandonne, dans un geste las ?

Anna, Leo, de grâce, soyez assurés que j'emporte votre image avec moi.

Anna

Lorsqu'ils ont déposé le couvercle sur le cercueil, lorsque le visage de Luca a disparu, j'ai seulement pensé : voilà, j'ai vu ce visage presque tous les jours pendant cinq années, et je ne le verrai plus. J'aurais dû contempler ce visage jusqu'à la fin du monde, le monde est encore là et lui n'y est plus. J'ai eu cette pensée toute simple, que je ne sais pas énoncer autrement qu'avec des mots simples. La tristesse parfois est une régression.

Dans un réflexe, celui qui nous fait associer les fins aux commencements, je me suis rappelé notre première rencontre, dans les jardins de Boboli. Luca était ce jeune homme assis à la terrasse du café La Loggia, à l'ombre d'un parasol blanc. Ses yeux étaient cachés derrière des lunettes de soleil. Entre ses mains, il tenait un livre dont la lecture semblait l'absorber. *La Divine Comédie* de Dante Alighieri : comment oublier ?

J'avais été impressionnée par ce jeune homme qui paraissait si sérieux, étudiant en lettres probablement. Je m'étais assise à la table qui jouxtait la sienne. Comme il ne regardait pas dans ma direction malgré mon insistance à me tourner régulièrement vers lui, j'avais fini par lui lancer : « Tu sais sans doute que Dante a été follement épris d'une femme prénommée Béatrice et que toute son inspiration est venue de là ? » Il m'avait alors considérée avec étonnement et m'avait juste répondu : « J'espère que tu ne t'appelles pas Béatrice. Parce que moi, je n'aime que le football. »

Comme aujourd'hui, les cyprès veillaient sur les tombes derrière nous et les oliviers dansaient sous le vent. Comme aujourd'hui, seize heures sonnaient au clocher d'une église. Il prétendait qu'il n'aimait que le football.

Chasser ces pensées à tout prix. Au moins s'épargner la sensiblerie, le mélodrame. Être une grande fille. Continuer à marquer sa solidarité avec la famille détruite. Conserver ce port de tête très digne, cette rigidité solennelle. Assurer la représentation jusqu'au bout. Admettre que seuls les faux-semblants tiennent lieu de vérité en ces instants.

Demain, il faudra commencer à rédiger les courriers de remerciements, trouver une formule sobre, employer toujours la même, cacheter les enveloppes, se rendre à la poste. Il faudra en terminer avec ce chemin de croix, se rendre jusqu'à la dernière des stations de ce calvaire. Les gestes devront être mécaniques, précis, ne pas laisser de place au hasard, à l'improvisation, à l'approximation. J'aurais horreur qu'on ait à déplorer une forme d'amateurisme.

Tout ça te ferait sourire, Luca, bien sûr. Tout te faisait sourire, à commencer par ma maniaquerie, mon goût des affaires rondement menées, mon souci de ne pas accumuler de retard, mon attachement à l'ordre. Avant moi, tu n'avais jamais rencontré d'Italiennes ordonnées.

Mais tu avais compris que j'agissais de la sorte afin que tout soit exactement comme il faut, que la place soit nette pour les choses essentielles, que nous ne soyons jamais entravés par les détails matériels, qu'à la fin il n'y ait plus que nous deux.

N'empêche, cela te faisait sourire. Dans ce sourire, il y avait tout ce que nous étions l'un à l'autre, n'est-ce pas ?

Leo

Je défais le bouton du haut, je desserre mon col de chemise. J'étouffe. Comment font-ils, ceux qui portent des cravates tous les jours ? Et comment se débrouillent-ils avec cette chaleur ? Tu parles d'un accoutrement. Je ne sais vraiment pas ce qui m'a pris. Avec un jean et un tee-shirt, j'aurais aussi bien rendu les derniers hommages au disparu.

Les « derniers hommages ». Le vocabulaire de la mort et celui du sexe se rejoignent de manière cocasse. Si j'avais le cœur à rigoler, je trouverais ça drôle.

J'ai réussi à tacher ma manche avec la résine d'un pin. C'est tout moi, ça. Il avait raison de dire que je n'étais pas sortable. Pas présentable.

Quand même, c'est impressionnant, tous ces gens en deuil. Ça les protège, ce deuil : je n'arrive pas à leur en vouloir. Ils réussiraient même à m'émouvoir.

Je ne m'approche pas d'eux, malgré tout. Il ne faut rien exagérer. J'aime bien ça, le retrait, l'ombre. Je me souviens de baisers volés, dans l'ombre de ruelles de Florence.

J'ai des picotements dans les jambes. Pourtant, j'ai l'habitude de la station debout. C'est la nervosité, ça, une saloperie de nervosité.

J'aperçois Anna de dos. Immanquable. Elle se tient bien droite, elle a une sacrée allure, je comprends mieux.

Le père aussi. La ressemblance ne me frappe pas. On n'est pas obligé de ressembler à son père.

Et toute la grande famille. Ça sent bon la Démocratie chrétienne, ce monde-là, les barons et les curés de la république. Chez moi, ils auraient dérouillé. On ne répugne pas à faire le coup de poing, de temps en temps, nous autres.

La colère, encore la colère. Elle me sauve.

Puis, mon regard se balade sur les tombes, au hasard des allées de ce cimetière. Et, tout d'un coup, il me semble que je reçois tout le malheur des hommes, que m'est offert tout le chagrin de ceux qui ont perdu quelqu'un. Je repère le marbre étincelant, les tournesols flétris, des photographies en noir et blanc qui pourrissent dans des médaillons ébréchés. Et c'est un cortège de désespoir que j'embrasse. J'observe la tristesse qui fait ployer les corps, qui les écrase. Et ça m'envoie valdinguer dans le décor.

Il me faut immédiatement songer à des cœurs qui palpitent, à des chairs qui frémissent, à des sexes qui gonflent sous les étoffes. Sinon, il ne reste qu'à se flinguer.

Il me faut l'été encore, la tiédeur, les peaux qui s'exposent, l'air qui vibre, qui entre dans mes poumons, des traces de sueur dans les dos, des mains qui s'agitent, des rires et des fatigues. Sinon, c'est l'hiver.

Je me barre de ce cimetière avant que la cérémonie soit terminée. Je cours retrouver la saleté poisseuse de la gare, la moiteur accablante des pissotières. Clairement, je préfère le grouillement des foules indifférentes à l'immobilité d'une assistance endeuillée.

Luca

C'est comme dans l'enfance : j'ai déniché une nouvelle cachette. Si on ne l'avait pas inaugurée en grande pompe, il y aurait eu peu de chances qu'on songe à me chercher ici. Malgré les stèles qui font office de panneaux indicateurs, cela demeure très à l'écart du monde, très à l'abri, et le risque est franchement mince qu'on vienne me déranger.

Dans quelques années, j'en suis sûr, on passera à côté de moi sans me voir.

La terre me pèse un peu, bien sûr, mais j'aime l'idée de ne plus faire qu'un avec elle, de me fondre en elle, d'être envahi par elle, de m'en retourner à elle. C'est curieux qu'on m'ait redonné la bonne terre contre laquelle je reposais lorsqu'ils m'ont repéré sur la rive de l'Arno. Au fond, on n'échappe pas à une manière de sort. Je ne m'en plains pas.

Le silence me pèse davantage, assurément. Tous les bruits du dehors me parviennent assourdis. Les conversations ne sont que des chuchotements, les chants des oiseaux à peine des gazouillis, les pas au-dessus de ma tête presque toujours des processions. Le crissement d'un râteau contre le gravier, le craquement des branches sous les pas des jardiniers, le clapotis de la pluie sur les pierres tombales, tout comme les clameurs du monde extérieur ne sont rien d'autre que des sons amortis.

Les parfums ne font pas frissonner ma narine : Rimbaud avait raison, mais de cela je n'ai jamais douté.

Et la lumière me manque, la belle lumière chaude de Florence. Oui, cette claustration dans le noir absolu me prive de ce que j'ai goûté le plus : l'éclat du jour. Le bleu des azurs, le jaune du soleil, tout de même, on n'a rien fait de mieux.

Enfin, j'ai perdu depuis quelque temps déjà la faculté de me déplacer, et celle de toucher, de palper, de caresser, d'étreindre. Les étreintes me manquent, elles aussi. Tout se dérobe à moi.

Je ressens singulièrement la quarantaine, une mise à l'index. Ce confinement, à certains moments, me semble le prix à payer pour des fautes que je ne me souviens pas d'avoir commises.

Alors, j'aime mieux croire à des exils, à des éloignements volontaires, à une fugue que j'aurais moi-même organisée. Je me prends à rêver à de vrais déserts, à des horizons interminables, à des plaines infinies. J'invente de nouveaux atlas. Ce sont d'autres identités pour la solitude.

Anna

Je marche au hasard dans la ville engourdie que la lumière blafarde de ce dimanche plonge prématurément dans l'automne vrai. Je surplombe le fleuve que les averses d'hier ont fait grossir et qui charrie mon malheur. Je longe une ligne de chemin de fer qui s'en va vers la gare, à défaut d'ailleurs. Je suis dans la fraîcheur presque agréable d'un début d'après-midi, sous un soleil hésitant qui ne réchauffe ni les places ni les ruelles. En levant les yeux, j'aperçois le blanc du ciel que menacent des nuages sombres dans le pas si lointain. Au détour d'une rue, je retrouve, sans le vouloir, le fleuve, l'eau qui bouillonne et, tout à coup, cela exige des efforts surhumains de ne pas se laisser aller au chagrin, au désespoir.

Et pourtant, le bonheur, ce pourrait être ça : ce moment de rien, cet instant tremblé, cette douceur froide, cette lenteur, cette inconséquence. J'ai accompli souvent des promenades comme celle-ci, et qui m'ont procuré une belle sérénité. Parfois, le bonheur et le malheur sont étrangement proches. Aujourd'hui, c'est frappant comme ils se rejoignent.

Je rentre chez moi et je découvre, comme une sensation neuve, ce que signifie « être seule ». Oui, cette solitude-là, qui m'est offerte avec le deuil, est un sentiment inédit. J'en ressens l'écho dans le silence de cathédrale de l'appartement vide, dans la résonance plus grande qu'à l'accoutumée de mes pas sur le plancher qui craque, dans le défaut de toute présence entre ces murs qui ont vieilli avec moi, dans l'agrandissement des pièces.

Je contemple les objets disposés sur les meubles, une poupée de porcelaine placée sur une affreuse commode, des livres jamais lus consciencieusement rangés dans une sorte de bibliothèque, un verre lavé retourné sur l'émail de l'évier, une feuille morte tombée au pied d'une plante, des photographies et des cartes postales qui débordent d'un tiroir. Et, soudain, je comprends que la vie n'a pas disparu de cet appartement : elle n'y est jamais entrée. Luca a toujours refusé de venir habiter ici. Cette révélation qui n'est pourtant pas une découverte me heurte, elle est une absolue violence.

Je me rends compte que je le cherche dans des lieux qui n'étaient pas les siens, que j'éprouve son absence alors qu'il n'a jamais durablement été présent ici. Cette vacuité n'est pas nouvelle : simplement, maintenant, elle ne peut plus m'échapper.

Et moi, est-ce que je peux lui échapper ?

La souffrance, si je m'essaie à la lucidité, ne provient pas de la séparation physique, même si le corps de Luca me manque abominablement. Elle n'est pas l'effet de sa disparition, puisqu'il m'a fait défaut si souvent. Non, c'est autre chose, qui a à voir avec la certitude d'être dépareillée, incomplète, de ne pas suffire. Il fallait que je sache que nous étions deux pour prendre une consistance. Seule, je n'existe pas. Je ne sais pas être le singulier de notre pluriel d'avant.

Dans ces conditions, que reste-t-il, sinon la retraite, le recueillement ? Néanmoins ces termes aux consonances religieuses ne me feront pas croire que le dénuement peut être un choix, et qu'il peut nous grandir.

Leo

Depuis quand, au juste, mon existence se résume-t-elle à des ombres qui passent, des corps serrés pour une unique nuit ou moins, des visages dont je ne retiens pas les traits, des êtres de rien, des conversations sans importance, des liens sans vérité, des rencontres de hasard sans lendemain possible, un petit négoce vulgaire ? Ai-je réellement décidé d'être ainsi, si peu relié au monde ? Luca constituait, en réalité, la seule attache. Il a suffi que ce lien se dénoue pour que je sois rendu à la solitude intégrale.

Ce dénouement est un abandon, un délaissement. Presque un dessaisissement. Je n'ai jamais ressenti autant qu'aujourd'hui la sensation d'être amputé, amoindri, diminué. C'est une sensation très précise, que je sais localiser, qui me tord le ventre, m'oblige à me plier en deux, les bras enroulés autour des côtes. C'est quelque chose de physique, de charnel, une secousse, une dévastation, qui explique les tremblements incontrôlables de ma carcasse. C'est même spectaculaire si j'en juge par les regards d'effroi qu'on m'adresse. Je mesure combien je fais peur, combien j'inquiète. Il doit leur sembler, à ceux qui sont mes voisins, que je suis sous l'emprise d'une bestiole fabuleuse, qui grandirait à l'intérieur de mon corps, et qui ne demanderait qu'à être expulsée. Ils paraissent terrorisés à l'idée de l'imminence de cette expulsion. Je ne suis même pas fichu de leur expliquer que rien ne surgira, puisque, au contraire, ça se vide au-dedans, ça pourrit, ça se dissout. Nul monstre qui grandit, plutôt une entreprise implacable d'anéantissement, de déliquescence. Ce que j'ai à affronter, c'est un retranchement, un démembrement, un éboulement.

Impossible de leur parler de ça, de nommer ce qui survient, de mettre des mots, de les prononcer. Le mutisme ne me guérit de rien, pas plus qu'il n'éloigne la douleur. C'est juste qu'il s'impose à moi, qu'il me submerge, qu'il me dépasse. Ce n'est même pas une question d'orgueil, ou une misérable tentative pour sauver la face. Non, c'est seulement être inatteignable, inaccessible, le plus lointain. Cet isolement, c'est une sauvagerie, rien d'autre.

Oui, une barbarie. Mais inoffensive. À la fin, cela ne détruira que moi. Ce qui m'attend, c'est de me consumer, de m'annuler.

Je n'avais pas imaginé les ravages que la perte de lui était susceptible de provoquer. Peut-être tout bêtement parce que je n'avais pas imaginé la perte de lui.

Au jeune homme timide qui plonge dans mon cou en échange de quelques billets, je pourrais tout raconter. Au débutant qui s'offre maladroitement, me confesser. Au puceau affolé et un peu touchant, me livrer. Il serait peut-être capable – qui sait ? – de m'entendre, de témoigner une sorte de fraternité des éclopés. Mais il ne pense qu'à lui et je ne pense qu'à moi. Nos égoïsmes sont irréconciliables.

Lorsqu'il lèche mon visage, tout de même, comprend-il que ce goût de sel n'est pas celui de ma sueur mais celui de mes larmes ?

Livre Deux

Tu t'étonnes que les autres passent à côté de toi et ne sachent pas, quand toi, tu passes à côté de tant de gens sans savoir, cela ne t'intéresse pas, quelle est leur peine, leur cancer secret.

Cesare PAVESE,
Le Métier de vivre

Luca

Retourner à la poussière, comme il est inscrit dans la Bible.

Disparaître. Devenir rien.

Une bénédiction.

Le pourrissement du cadavre a commencé. L'admirable travail de l'embaumeuse n'aura duré que ce que durent les roses. Ou les enterrements. Les poudres ne sont plus d'aucun secours. Les artifices cèdent. Les substances injectées cessent de produire leurs effets. Les coutures savamment dissimulées craquent. Le spectacle est terminé. On a tiré le rideau.

Voilà que la peau part en lambeaux, que la chair se ride, que le pigment n'est plus qu'un souvenir.

Voici que les vers s'attaquent à l'armature, que les asticots prospèrent, que la vermine accourt pour se nourrir de ma viande en décomposition, que des larves s'extirpent de mes orbites creusées.

Voilà que les os deviennent friables, qu'ils se

détachent du squelette, se brisent en chutant, qu'ils forment un tas de détritus, ou de cendres.

Voici que les nerfs dénudés virent du rouge au noir, qu'ils claquent comme des élastiques, qu'ils se racornissent, se rabougrissent.

C'est un autre spectacle qui se joue. Il y a encore une vie après la mort, celle des charognards ; encore des vibrations malgré l'immobilité éternelle, celles de la charpente qui craque.

Dans ma mémoire, je cherche mon corps d'avant. Je visualise la silhouette longue, une maigreur comme chez les adolescents grandis trop vite, ou comme chez les jeunes filles. C'est ça : l'image qui s'impose est celle d'un corps de fille. Les hanches sont étroites, les fesses un peu trop plates, les cheveux un peu trop fins. Le visage est long lui aussi, aux traits fins, que barre le noir du regard. Ce noir, je m'y accroche. Les yeux sont ceux du père. Ils expriment une dureté, portent une énigme, une ambiguïté originelle. La dureté s'est évanouie si souvent dans des abdications délicieuses. Enfin, il y a le sombre de la peau, la trace d'un Orient, celui de la mère. Cet Orient, c'est la promesse d'un ailleurs. C'est à cette promesse qu'Anna et Leo se sont accrochés.

Celle-là, je l'ai tenue.

Je ne réussis pas à fixer l'image, elle se brouille, devient floue, hésitante, chancelante, elle se perd. Mais c'était déjà ainsi, du temps de mon vivant.

Je songe qu'adviendra inévitablement un moment où je ne parviendrai plus à me souvenir de moi. À ce moment-là, les autres m'auront-ils déjà oublié ?

Anna

Les résultats de l'autopsie ont été communiqués aux parents de Luca. Susanna m'indique que tout est normal. On dirait qu'elle évoque le verdict d'une prise de sang ou d'une radio. Si, tout de même : on a relevé des traces de somnifère, un somnifère puissant. Cela a mis la puce à l'oreille des enquêteurs, qui l'ont interrogée pour déterminer si Luca usait de somnifères habituellement. Elle a répondu que non, puis elle a ajouté qu'elle n'en était pas tout à fait sûre, qu'elle me poserait la question. Je ne connaissais pas à Luca de troubles du sommeil, je ne lui ai jamais vu prendre de pilules pour dormir. Mais nous n'habitions pas ensemble, et je n'ai jamais inspecté son armoire à pharmacie. Tout est possible, y compris la possession de somnifères. Il revient à l'esprit de Susanna que les enquêteurs lui ont affirmé « n'avoir relevé la présence d'aucune substance de cette nature » dans l'appartement de Luca. Leur provenance demeure donc, à ce jour, inconnue. Du coup, la police parle de mener des « investigations complémentaires », afin de s'assurer que ces somnifères n'ont pas été administrés de force, que personne n'a drogué Luca. J'ignore ce que peuvent signifier des « investigations complémentaires ». Il n'y a personne à interroger et l'autopsie n'a révélé, si j'en crois Susanna, aucun coup ni aucune blessure, autres que ceux logiquement provoqués par la chute. Tout ceci me paraît fumeux. Je suis juste surprise de constater que la mère se résigne aussi facilement à cette enquête, qu'elle ne la juge pas inutile, ou déplacée, voire indécente. Au moment où je formule cette surprise pour moi-même, je remarque que les yeux de Susanna ne me regardent pas, toute son attitude suinte la gêne. Je ne lui connais pas cet inconfort, ces faux-fuyants. Elle est, pour moi, le symbole de la droiture, de la rectitude. Elle n'est pas une femme courbée. Pourtant, là, devant moi, elle plie. Malgré le respect qu'elle m'inspire depuis le tout premier jour, malgré la déférence teintée de peur, j'ose lui demander s'il y a quelque chose qu'elle ne me dit pas, quelque chose qu'elle me cache, que je devrais savoir et qu'on me dissimule. Au lieu d'être choquée par ma question, et d'adopter cet air dédaigneux qui la caractérise le plus souvent, elle me répond par la négative avec précipitation, dans l'urgence. Et cette dénégation, soudain, me semble un aveu. J'ai l'intuition qu'elle vient de commettre un mensonge et c'est, en soi, une manière de confession. Sa réponse, toutefois, m'interdit toute réplique. Je dois me débrouiller avec ce mystère, cette noirceur. Giuseppe fait alors son entrée dans la pièce imposante et sombre, aux tentures lourdes. Son expression est celle du courroux. Son rictus est presque celui du dégoût. Mais peut-être n'est-ce que la manifestation du chagrin. J'ignore si le lièvre que je crois avoir soulevé n'altère pas mon jugement et ne me conduit pas à interpréter le plus petit signe. Cependant, je n'invente pas son salut glacial, aussitôt adouci par une compassion sincère. Cette fois, j'en suis tout à fait sûre, il y a quelque chose qu'on tait, un secret visiblement terrible. Je tente de m'interdire toute spéculation et de faire bonne figure. Mais je ne peux pas m'empêcher de penser aux substances dont on m'a appris l'existence. Leurs traces dans l'organisme de Luca posent-elles véritablement une affreuse question ? Ou portent-elles une infamie ? Rentrée chez moi, je m'écroule sur le canapé. Je crains que rien ne me soit épargné.

Leo

L'hôtel Solferino ressemble à s'y méprendre à un lieu de perdition. De ces lieux où ne se croisent que ceux qui ne possèdent plus rien, plus d'attaches, qui ont dû tout abandonner. C'est un lieu pour ceux qui se sont éloignés ou qu'on a éloignés, et qui s'accommodent d'une solitude banale, d'un papier peint de mauvais goût, de moquettes imprécises. C'est un lieu pour des ombres, des gens du silence, des petites gens, même pas des gens de passage, puisqu'il n'existe plus de voyageurs de commerce, non, une clientèle d'habitués, de ceux qui prennent leur clé au comptoir sans rien demander à personne, sans déranger le concierge, qui disposent de leur rond de serviette à l'entrée d'une salle de restaurant baroque. Ils vieillissent avec les murs. Ils finissent par se connaître, se saluent d'un geste de la tête lorsqu'ils s'aperçoivent mais n'en nouent pas pour autant des relations. Ce sont des gens sans conversation, sans histoire, qui disparaissent un jour, souvent sans prévenir, pour être remplacés par des individus qui ont la même apparence, la même dégaine, comme dans une chaîne interminable. Je suis l'un d'eux.

Je suis un fantôme au milieu des fantômes. Mon ombre ne se distingue pas de celle de mes compagnons.

Ici, on parle bas, on marche lentement. Sous les lustres gigantesques, je rencontre des vieillards tirés à quatre épingles et des femmes sans âge enserrées dans des robes vulgaires. Le concierge est un petit homme à la mine chiffonnée par trop de nuits sans réel sommeil, par trop de veillées marquées par une lutte inégale entre vigilance et assoupissement. Il a des manières surannées, porte des costumes lustrés et les cicatrices de combats anciens contre le mauvais vin. Il offre sa fatigue à qui accepte de perdre son temps à la contempler. Dans le hall, les fauteuils de velours sont défoncés, les miroirs sont ébréchés et tachés. Tout ici est voué à une lente mais implacable décrépitude. Du dehors, pourtant, on confondrait cet hôtel avec un ancien palais florentin. Au bout de la rue, un pont enjambe l'Arno.

Cette perdition n'est pas pénible. Je l'ai cherchée.

Luca avait compris, d'emblée, et mieux que personne, mon désir d'habiter un lieu comme celui-ci, mon refus catégorique de louer un appartement en ville ou d'avoir des meubles à moi. Et c'est sans doute parce qu'il avait admis cela immédiatement que nous sommes venus l'un à l'autre avec un tel degré d'évidence.

Je me souviens de sa présence entre ces quatre murs, de ses rires quand il se jetait sur le canapé, de ses agacements quand il se cognait contre la table basse, des longs moments qu'il passait, front appuyé contre la fenêtre, à seulement regarder l'écoulement du fleuve. Je ne me doutais pas alors qu'un jour cette belle obsession s'achèverait précisément dans les eaux tourbillonnantes de l'Arno.

Lui, s'en doutait-il ?

Luca

C'est l'heure de la sieste. Après le déjeuner, c'est tout un peuple qui s'endort, fenêtres ouvertes, volets fermés, persiennes filtrant la lumière chaude du dehors. Par moments, un voile se soulève, porté par le vent qui s'insinue, lui aussi. Sur les lits, dans la pénombre, les femmes et les hommes d'Italie sont alignés comme des cadavres. Je leur ressemble encore, un peu.

Aux murs, des christs en croix, la reproduction de peintures pieuses. Dans les tiroirs des commodes, des missels comme ces gilets de sauvetage qu'on loge sous les sièges des passagers dans les avions, qui rassurent les inquiets et ne sauvent personne lorsque l'avion s'écrase. Sous les oreillers, des chapelets qu'on fait rouler entre ses doigts, en implorant le pardon pour les fautes commises. Moi, je ne quémande pas le salut pour mon âme.

Tout à l'heure, lorsque la température sera un peu retombée, les vieillards sortiront des chaises en paille et les installeront sur le pas de leurs portes, dans les ruelles, à l'écart de l'agitation de la ville. Ils prolongeront ainsi cet état de demi-sommeil et y trouveront sans doute un repos pour leurs tourments ou une mesure de leur bonheur. J'aimerais tant pouvoir m'asseoir avec eux.

Plus tard encore, lorsque le jour commencera à faiblir, que les premiers frimas se feront sentir, mais avant que les magasins ne descendent leurs rideaux métalliques, les rues enfleront imperceptiblement, la foule deviendra plus dense et formera une houle. Je me suis souvent laissé porter par la promenade du soir.

Enfin, à la nuit tombée, sur les places, des rencontres s'improviseront, des retrouvailles auront lieu, des embrassades, des accolades, des effleurements. Des cris et des rires monteront de ces arènes et se perdront dans le ciel déchiré par des nuages orange.

Ce sont ces moments qui me manquent le plus, curieusement. Ces moments de rien, mais qui contiennent toute la vie.

C'est la robe d'Anna qui virevolte quand elle presse le pas pour venir se jeter à mon cou. C'est le tintement de ses bracelets autour de ses poignets quand elle porte à ses lèvres le verre de Martini blanc qu'un serveur lui a apporté. C'est le geste qu'elle fait quand elle remonte ses lunettes de soleil pour les accrocher dans sa chevelure.

C'est le sourire impossible de Leo après les bagarres. C'est ses bras nus où les veines gonflent quand il tire sur le guidon de sa Vespa pour la poser sur cales. C'est le mouvement sec de ses hanches quand il tient à attirer les regards.

Mon absence à ces moments est le signe le plus flagrant de ma mort.

Et, lorsqu'on a eu tout ça, doit-on se dire qu'on peut admettre de le perdre, puisqu'on a été heureux ?

Anna

Je ne réussis pas à éloigner le doute, à empêcher le questionnement. Je le voudrais, juste pour tenir bon encore, mais rien n'y fait. Les interrogations les plus diverses, et les plus farfelues, m'assaillent, comme une armée qui accumulerait les coups de boutoir contre les murs d'une citadelle.

Les questions sont une gêne, presque toujours. Seules les réponses, et de préférence les plus tranchées, assurent la tranquillité.

Ce qui compte, c'est de savoir. Peu importe que nous soyons dévasté par ce que nous allons apprendre. Tout vaut mieux qu'une ambiguïté, une obscurité.

Je suis même disposée à accueillir des mensonges, pourvu que je puisse les croire. Du reste, entre les vérités accablantes et les fables parfaites, je ne choisis pas : les deux me vont car aucune ne me plonge dans les affres de l'incertitude. L'insupportable, toujours, c'est l'entre-deux, la zone grise. Pourquoi tout n'est-il pas blanc ou noir ? Pourquoi n'y a-t-il pas seulement des innocents et des coupables, seulement des héros et des salauds ? Pourquoi faut-il qu'on nous inflige des nuances, des dégradés ?

Il me semble qu'on m'envoie une épreuve et qu'elle pourrait rapidement tourner au supplice, au cauchemar.

Cette torture me prive du sommeil. Dans la nuit blanche, je revois les yeux détournés de Susanna, le teint empourpré de Giuseppe, leur embarras, presque une honte. Je tente, mais sans y parvenir, de fournir une explication à une telle incommodité.

J'essaie de me souvenir de chacun des mots employés, du ton faussement ingénu, des ombres qui flottaient dans le salon monumental. De retrouver les termes exacts, les détails qui viendraient à mon secours. Mais les affres ne diminuent pas. Cette quête est un calvaire.

Aux premières heures de la matinée, je me rends au commissariat afin d'obtenir une entrevue avec les policiers chargés de l'enquête. On m'indique que l'inspecteur Tonello n'arrive généralement à son bureau que sur le coup de neuf heures. Pas grave, j'attendrai. Je m'installe sur une des chaises en plastique vert qu'on a alignées contre un mur tapissé d'affiches en tout genre, appelant principalement le citoyen à la vigilance et à la collaboration. Par endroits, le linoléum luisant est boursouflé. J'enfonce le talon d'un de mes escarpins dans les cloques : il faut bien passer le temps. Devant moi défile un bétail de la misère : prostituées, clochards, un adolescent couvert d'ecchymoses, étrangers à qui on s'adresse comme à des enfants. Je me demande comment je peux appartenir à ce monde-là, de la délinquance, de la dérive. Quels péchés ont été commis, pour que j'en sois réduite à être l'une de ces personnes, qui sentent le vin, le sang, le sperme, la fraude ?

Dès neuf heures, je vais vérifier auprès d'une des préposées à l'accueil si mon interlocuteur est enfin arrivé. Il m'est indiqué, sur un ton où il entre autant de lassitude que d'irritation, qu'on m'appellera, que ma demande a bien été prise en compte, que la reformuler ne fera pas « aller les choses plus vite ». Je retourne m'asseoir. Et ce sont d'autres visages qui passent devant moi, que je ne distingue pas de ceux qui les ont précédés.

À neuf heures trente, un homme se présente à moi : l'inspecteur Tonello me prie de le suivre. Je ne l'ai jamais vu. Quarante ans peut-être, une moustache poivre et sel, une cravate mal ajustée, une décontraction dans la démarche. Il me sourit, me rassure. Lorsque je lui précise le but de ma visite, il se referme. Les résultats de l'autopsie sont communiqués exclusivement à la famille. Et il revient à la famille de décider comment elle entend en disposer. Lui n'est pas habilité à délivrer ce genre d'informations. Il est désolé. Navré aussi que j'aie perdu mon temps. Comme j'insiste, sa voix devient plus cassante. Comme j'implore, elle redevient onctueuse. Mais, à la fin, il s'en tient à son refus. Je repars décontenancée, déboussolée. Je chemine vers des précipices.

Leo

L'homme de cinquante ans, lunettes rondes d'intellectuel décati, barbichette mal taillée, costume approximatif, dit : « Ça sent bon, les jeunes gens. Ça a cette odeur de propre, de frais, une odeur d'eau de Cologne ou de gel de douche. C'est intact, net, lisse. C'est un territoire inviolé. Ça offre une image de la pureté. D'ailleurs, ça offre tout, ça s'offre, comme ça, sans ambiguïté apparente, sans arrière-pensée, sans retenue. C'est posé là, dans le costume d'une jeunesse qu'on pourrait croire éternelle, ça ne sait pas ce que vieillir veut dire. Ça ignore tout de la dégradation inexorable de l'apparence, de la flétrissure inévitable de la peau, de l'empâtement des traits, du creusement des rides. C'est là, triomphant, et ça ne sait même pas que ça triomphe. C'est une sorte d'innocence, encore, avant que ça ne comprenne tout à fait de quels atouts ça dispose effectivement. C'est une manière de dernière intégrité, une intégrité qui va se perdre, qui est au plus près de se perdre mais qui subsiste, et cet instant précis, celui des derniers moments de l'intégrité, c'est celui de la beauté absolue, de la beauté inaccessible. On se sent tenu à l'écart de ça, éloigné. C'est presque humiliant, cette distance obligée. Mais Dieu que ça sent bon, les jeunes gens ! »

Je dis : « Les chiottes, c'est par là. »

Et je ne perds pas mon temps à lui avouer que j'ai abandonné depuis longtemps tout ce qu'il escompte obtenir.

À un autre homme, plus jeune celui-là, pas trente ans, un homme des beaux quartiers de toute évidence, j'ai dit, un jour : « Je sais trop pourquoi les gens comme vous s'intéressent aux gens comme moi. Je sais que vous regardez nos corps exposés dans des magazines que vous achetez discrètement aux kiosques des gares, avant de courir retrouver vos maisons et vos épouses. Vous regardez les silhouettes sèches, nerveuses, les peaux imberbes, les poses suggestives, les regards durs. Vous projetez des fantasmes sur notre agilité et notre puissance. Vous rêvez de nous parce que nous avons la minceur des femmes et l'assurance des hommes. Quand vous nous croisez dans la rue, vous observez nos jeans trop grands tombant de nos hanches, nos tee-shirts qui enserrent des torses étroits, nos casquettes aux visières arrondies. Vous espérez que nous sommes encore des enfants alors que vous n'ignorez pas que nous sommes tout à fait autre chose. Vous vous doutez que nous refuserions votre "tendresse" mais vous avez les moyens de vous la payer. Il suffit pour ça de quelques billets, de la promesse d'un confort. Vous êtes persuadés de vous encanailler en vous approchant de nous. Vous prétendez que nous pourrions être dangereux et c'est ça qui vous attire : la violence que vous pressentez en nous, une agressivité dont nous ne saurions pas nous défaire, une agitation permanente, une brutalité possible, une excitation de tous les instants, et une sorte d'impunité. À croire que ce qui vous attire, c'est ce qui vous effraie. Surtout, vous avez à votre portée un plaisir facile, vous avez le sentiment enfin d'une jouissance accessible. Quand nous vous voyons vous approcher, nous lisons le désir dans vos yeux. Comprenez-vous que ce désir nous dégoûte, qu'il est répugnant, que nous ne l'acceptons que contre de l'argent ? Pourtant, nous cherchons tous désespérément des bras pour nous étreindre. Nous refuserions les vôtres, s'il n'y avait pas l'argent. »

L'homme m'avait écouté lui débiter ma tirade. À la fin, il avait seulement dit : « Vous avez sans doute raison. Mais on peut aussi raconter une histoire de fraternité. »

Cet homme-là, c'était Luca.

Luca

Anna, je t'ai aimée plus qu'aucune autre femme, sois-en sûre. Quoi qu'on te dise, quoi que tu apprennes, cette certitude t'est acquise.

Avant elle, je n'avais pas connu cela, cette tranquille assurance. Il a suffi qu'elle paraisse pour que je me sente en sécurité. Elle m'a procuré immédiatement la sérénité, le relâchement. On pourrait estimer que cette offrande, c'est bien peu, qu'on est en droit d'attendre davantage que le calme. Et pourtant qu'on y songe : combien d'êtres dans une vie vous permettent d'être insouciant, imprévoyant, nonchalant, léger, d'ignorer toute contingence, de vous reposer entièrement sur eux ? Combien de femmes vous donnent toutes les réponses et ne vous posent aucune question ?

Et un cadeau pareil, est-ce que cela se refuse ? Une telle chance, est-ce que cela se repousse ?

Les femmes avant Anna étaient volcaniques,

sensuelles, merveilleusement épuisantes, exclusives, possessives, jalouses. Elle, elle a débarqué, un jour, et elle m'a proposé la liberté, la frivolité, une sorte d'abandon. J'ai tout pris.

Bien sûr, certains soirs, elle m'a prié de rester. Certains matins, elle m'a demandé de ne pas repartir. Bien sûr, elle a espéré que nous habiterions ensemble, ce qui se voulait, sans le dire vraiment, un prélude à une existence partagée. Bien sûr, elle a aspiré à des engagements plus clairs, et entendu les promesses que j'ai parfois formulées. Mais, à la fin, elle a toujours respecté ma muette revendication d'indépendance.

Elle n'a jamais manqué pour autant de flamboyance. Ceux qui l'ont vue marcher à mes côtés parlent encore, j'en suis certain, de son allure, de ses cheveux noirs qui rebondissent sur ses épaules, de son énergie, du dessin parfait de sa silhouette.

Je me souviens aussi de nos enlacements, de nos serrements. J'ai accompli des voyages extraordinaires.

Et puis, on tombe forcément amoureux d'une femme qui admet qu'on soit un supporter de la Fiorentina.

À quel moment va-t-elle comprendre ? Combien de temps faudra-t-il avant que la vérité lui soit révélée ? Et qui sera celui qui me trahira ? Quelles circonstances amèneront une telle découverte ?

C'est elle qui paiera le prix de ma lâcheté. Cash.

J'aurais pu parler, bien sûr. J'aurais pu tout avouer. Mais le courage m'a manqué. Et, aussi, je me suis complu dans la dissimulation.

Ce n'est cependant qu'un pauvre secret. Il l'aurait toutefois envoyée dans les cordes. Était-ce si utile de provoquer autant de souffrance ?

Impossible d'employer des phrases du genre : « Ça n'est pas ce que tu penses. » Et pourtant.

Anna

Parce que je l'interroge, Susanna consent à me fournir quelques renseignements complémentaires, à propos des résultats de l'autopsie. Rien qui permette de dissiper le mystère qu'elle a créé, ou que j'ai inventé, mais parfois les faits objectifs, concrets, incontestables nous font croire qu'on s'approche de la vérité.

Premier fait : le décès de Luca est intervenu dans la nuit du vendredi dix-neuf au samedi vingt septembre, probablement sur le coup de trois heures du matin (voilà que je restitue exactement les termes de la police, sans le faire exprès). J'avais signalé sa disparition le dimanche (je n'avais plus de ses nouvelles depuis le jeudi). Son corps a été retrouvé le mardi vingt-trois septembre, aux premières heures du jour. Dans mon esprit, la séquence est à peu près précise. Elle ne m'éclaire pas pour autant, mais au moins elle donne une réalité aux choses.

Je songe : Luca est mort en été, aux derniers

jours de l'été. Il n'aimait pas l'automne, il est mort à sa porte.

Deuxième fait : le décès est dû au choc consécutif à la chute dans le fleuve. Selon toute vraisemblance, Luca s'est tué en tombant. La plaie sur la joue semble indiquer qu'il a dû heurter une pierre ou un parapet.

Je songe : au moins, il n'est pas mort noyé. Il n'a pas connu le supplice de l'eau qui déchire les poumons. Il ne s'est pas débattu contre le courant. Il n'a pas été englouti par les eaux après un vain combat. Cela a été une mort très nette, instantanée. Il n'a pas eu la conscience de ce qui survenait. Cette calamité lui a été épargnée.

Troisième fait : le corps a stationné dans l'eau, un peu plus de soixante-douze heures, avant d'être retrouvé.

Je comprends mieux l'état de décomposition, et le gonflement, les boursouflures.

Quatrième fait : le corps n'a pas été charrié sur une longue distance. Entre le lieu de la mort et celui où le cadavre a été repéré, la distance ne dépasse pas cinquante mètres. Si le corps n'a pas été repéré immédiatement, c'est parce qu'il est demeuré, pour des raisons non identifiées à ce jour, immergé. On suppose qu'il a été retenu au fond par une pierre à laquelle les vêtements se seraient accrochés et que la force des courants a fini par le libérer pour le rejeter sur la rive.

Je songe : à quoi ressemblent les fonds de l'Arno ? À rien, sans doute. On ne doit rien voir, les eaux sont tellement boueuses, opaques. Ce doit être une nuit noire. Revenir à la surface, c'était revenir à la lumière. Mais Luca n'a pas vu la lumière.

L'horreur glaçante de cette reconstitution me procure une curieuse sensation de soulagement. Oui, décidément, l'exactitude et la minutie me sont d'un précieux secours. Avec elles, je me sens moins seule, moins démunie. Je devrais être dévastée et je suis apaisée. Ces révélations devraient me lester ; au contraire, elles m'allègent du poids écrasant, indépassable de l'ignorance.

On m'assure qu'il vaut mieux ne pas savoir quelquefois, et se contenter de chimères ou de spéculations. Je sais également que beaucoup de gens préfèrent ne pas *voir* et ne conserver, dans leur mémoire, que de jolies images. Je ne suis pas de ceux-là. Non, je ne suis pas comme eux. Le souvenir du cadavre de Luca et la connaissance de la séquence de sa disparition me sont absolument nécessaires si j'entends résister à l'aliénation mentale.

Tandis que je commence à savourer cette consolation, Susanna me précise que ce que je prends pour des faits établis constitue encore, pour partie, des hypothèses de travail. « Avec la mort, on n'est jamais tout à fait sûr. » Je retiens cette expression. J'ai la tentation de pointer son imprécision mais je n'en fais rien. Je comprends qu'elle évoque ce genre de décès accidentel, sans témoin, et découvert après un certain délai. Sa phrase, en tout cas, suffit à me replonger, instantanément, dans les abîmes.

« Avec la mort, on n'est jamais tout à fait sûr. »

Leo

Je l'ai déjà dit : avant lui, je n'avais connu qu'une existence sans attachements, des rencontres fugaces, des amitiés jamais abouties, des liens jamais noués en dehors des intérêts immédiats, des commerces qui rapportent. Je m'étais contenté d'œillades fuyantes, d'étreintes mécaniques et sans chaleur, de rendez-vous sans lendemain.

Et, un jour, il a été là, planté devant moi. Luca Salieri.

Il a dit : « On peut aussi raconter une histoire de fraternité. »

Et, sur cette seule phrase, je suis allé vers lui.

Je suis allé vers lui parce que j'ai deviné que c'était tout bonnement envisageable. Ça peut paraître idiot, mais lorsque j'ai entendu ces mots, c'est ce que j'ai précisément éprouvé : la faculté de le rejoindre.

Ça ne m'était jamais arrivé.

Aujourd'hui encore, je suis bien incapable d'expliquer pourquoi cette évidence m'a sauté à la gueule. Sans doute ces choses-là ne s'expliquent pas. Sans doute ça ne sert à rien de tenter de les expliquer.

Il y a juste eu une certitude, d'un coup, une implacable certitude.

Et c'était incroyablement plaisant, cette clarté, soudain, cette simplicité.

Je me suis senti innocent pour la première fois.

C'est son indifférence qui m'a frappé en premier, une forme de détachement, une désinvolture. Et, associée à ça, une offrande. Comme si rien n'était grave et que tout était possible.

La beauté m'a frappé aussi, et l'indolence. La délicatesse. Une grâce.

On s'y laisse forcément prendre, à cet air angélique, à ces manières de Christ, à cette négligence dans la posture, à ces yeux qui fouillent au-dedans de nous alors qu'ils paraissent à peine nous regarder. Oui, on a envie de le prendre entre nos mains, ce visage d'enfant de chœur à qui on ne donnerait pourtant aucun bon Dieu sans confession, à ce sourire qui creuse des fossettes et qui ramène à l'adolescence, à ce que nous avons perdu.

Et, tout aussitôt, nous n'avons plus été seulement dans l'évidence : nous avons été dans l'urgence. C'est ça : le sentiment d'une urgence a surgi, s'est imposé.

Comme si nous devions, sans délai, rattraper

le temps perdu, comme s'il nous fallait tenter de reconquérir les années passées sans l'autre, comme si nous étions tenus d'abolir les distances que le hasard avait, jusqu'à cet instant, placées entre nous deux.

L'urgence était commandée aussi par une frayeur diffuse, enfantine, presque informulable, celle d'être privé de l'autre à peine trouvé, celle d'être séparés à peine réunis, celle de ne pas disposer de la vie devant soi. Aujourd'hui, je répugne à l'énoncer ainsi et pourtant voici exactement ce que j'ai pensé alors : aurons-nous le temps ?

La fièvre, la frénésie ne sont jamais retombées vraiment. Elles ont fait de nous ces êtres voraces et joyeux.

Luca

Non, je n'ai jamais souhaité dire toute la vérité à Anna. J'y ai songé, bien entendu. Comment ne pas y songer ? Mais toujours je me suis abstenu, retenu. Certains soirs, oui, certains soirs d'une violente intimité, j'ai été au bord de lui raconter l'histoire. Je la sentais, cette histoire, sur mes lèvres, prête à être délivrée. La tentation était là, de parler enfin. Ou bien l'opportunité se présentait. Ou encore il suffisait de se laisser aller, de s'abandonner aux ivresses, ou aux jouissances. Mais, au tout dernier moment, à chaque fois, cela ne sortait pas, les mots demeuraient au-dedans. Au fond, mon désir intime, c'était de ne pas parler.

A-t-elle aperçu ce refoulement, cette censure, cette interdiction ? On raconte que les femmes sont dotées d'une intuition très supérieure à celle des hommes, et, moi, j'y crois. On dit qu'elles ont une sorte de sixième sens, presque infaillible, une aptitude à voir au-delà des simples apparences, et c'est sûrement vrai. Il n'aurait pas été absurde qu'elle devine mes efforts pour me taire parfois, ou simplement qu'elle s'essaie à démonter mes petits mystères et mes cachotteries, à éclairer mes zones d'ombre. Plus d'une fois, elle a dû me juger abscons, obscur, furtif. Pourtant, elle ne m'a jamais questionné. Elle est de ces êtres qui estiment qu'en amour (en amour seulement) il ne faut pas poser de questions si on veut obtenir des réponses.

Et puis, elle avait décidé, depuis le tout premier jour, de me laisser me comporter comme un enfant gâté. Elle avait choisi de ne pas corriger mes défauts. Elle est restée fidèle à ses engagements, sans varier. Moi, je suis resté fidèle à mes défauts.

Pour autant, je suis persuadé que les questions, si elle ne me les a pas posées, elle se les est posées. Le mystère, elle a cherché à le déchiffrer, évidemment. Quelles ont été ses déductions, à la fin, ses suppositions ? Je n'en sais rien. Je n'ai pas pu le savoir. Pas voulu, non plus, de toute façon.

Et nous nous aimions aussi pour ça, cette énigme entre nous. Elle participait de notre connivence. Elle nourrissait la séduction. Elle nous procurait la certitude de notre singularité. Cette singularité constituait elle-même un gage de durée.

Vraiment, lui mentir un peu, et par omission, ne m'a jamais empêché d'aimer Anna. De l'aimer d'un amour sincère, et sans aucune ambiguïté.

Au contraire.

Enfin, quand j'y repense, je ne lui ai rien dissimulé, à part Leo. Sur tout le reste, j'ai été transparent. Combien d'hommes peuvent oser une telle affirmation ? Quand il s'agira pour Anna d'arrêter les comptes, de quel côté la balance penchera-t-elle ?

Vous avez déjà dit *toute* la vérité, vous ?

Anna

Je me rends à l'appartement de la via Medici, l'appartement de Luca. Je dispose d'un double des clés. Luca m'en avait confié un, il y a presque deux ans. J'en avais été surprise alors, presque interloquée, puisque je connaissais son horreur pour ce genre de disposition, et sa méfiance à l'égard de ce type de symbole. Un soir, il m'avait remis les clés, sans un mot, sans le moindre commentaire. Il les avait glissées dans ma main droite, avait refermé ma main, l'avait serrée longtemps. Je mesurais combien ce geste devait lui coûter. J'avais eu l'intention, du coup, de les lui rendre immédiatement, dès qu'il aurait relâché son étreinte. Puis j'avais songé qu'il ne manquerait pas de recevoir ce refus comme une insulte. Puisque le geste lui était si pénible, il ne fallait pas y ajouter un affront. J'avais envisagé aussi de lui signifier que rien ne l'obligeait à faire ça, mais j'avais finalement préféré garder le silence. Mon silence, c'était la seule posture possible face au sien. J'ai gardé les clés.

Plus tard, toutefois, il m'a priée de ne les utiliser qu'en cas d'urgence, m'a précisé que le fait de les détenir ne modifiait en rien nos habitudes, nos conventions. J'ai veillé à respecter sa requête. Du reste, je me rends compte seulement aujourd'hui que je n'ai jamais fait usage de ces clés.

Et, en pénétrant dans l'appartement, précisément, je prends conscience que je ne m'y suis jamais trouvée seule, jamais sans lui. Si bien que le défaut de sa présence me frappe au point de me faire vaciller. Il me semble commettre une effraction, une intrusion, un viol. Sur le pas de la porte, je songe sérieusement à faire demi-tour, mais le besoin de savoir est le plus fort.

À quel moment commence la trahison ?

Évidemment, je suis à la recherche d'un indice, d'un signe, quelque chose à quoi me raccrocher, une réponse. Mais j'ignore à quoi cela ressemble une réponse. J'ignore donc dans quelle direction il faut chercher.

D'abord, je remarque le désordre. Et, surtout, je le reconnais. Cette familiarité avec son désordre m'arrache des larmes. Voilà que je m'affaisse sur le canapé, la tête entre les genoux, pour pleurer. Les pires douleurs sont celles qu'on s'inflige.

Je finis par me relever, je me dirige vers les fenêtres et je les ouvre. Je tiens à ce que la lumière entre dans ces pièces, et l'air pollué du dehors, et les bruits de la rue. Ce vacarme me laisse moins seule.

Dos à l'une des fenêtres, j'embrasse d'un regard circulaire le territoire ancien de Luca. Je respire un bon coup. Un peu de courage ! Je suis tout de même celle qui a identifié son cadavre.

Je me cogne contre les meubles, je mesure mal la dimension des pièces, je passe plusieurs fois aux mêmes endroits sans faire attention, je n'ose pas toucher à ses effets personnels. Cet appartement est un sanctuaire.

Je comprends à la disposition de certains papiers et de divers objets que la police est passée avant moi. Le désordre n'est pas seulement celui de Luca, c'est aussi celui laissé par une fouille plus rapide que méticuleuse. Mais les policiers étaient sans doute confrontés à la même difficulté que moi : ils n'avaient pas une idée précise de ce qu'ils étaient venus chercher.

Je me console ou me rassure en me souvenant que je connaissais le disparu infiniment mieux qu'eux. Ce qui sort de l'ordinaire devrait normalement me sauter aux yeux.

Je me suis préparée au pire et je sais déjà que je ne m'en remettrai pas s'il survient.

Leo

Elle ne sait rien de moi. Elle, la jeune femme des photographies.

Moi, je connais son sourire même si je ne l'ai jamais vue sourire. Je connais ce geste qui est le sien quand, tête inclinée, elle relève ses cheveux de son avant-bras même si c'est un geste arrêté. Je connais l'éclat du regard que ses paupières figées n'éteindront jamais. Je connais ce pull gris à col roulé qu'il lui arrive de porter, et dont je n'ai jamais caressé la matière.

Pour moi, Anna Morante est une image immobile, en deux dimensions. Seulement une image, mais c'est mieux que rien.

Rien, c'est moi.

Anna Morante existe puisque les photographies me parlent d'elle, pourtant elle n'est pas incarnée. Je l'ai toujours contemplée comme une morte. Au cimetière, l'autre jour, j'ai néanmoins constaté qu'elle était bien vivante.

Luca m'a appris son existence presque tout de suite. Il aurait pu ne rien me dire puisque je ne lui ai rien demandé. Il a préféré la franchise. À moi, il a choisi de ne pas mentir. Les mensonges, c'était pour elle. La vérité, pour moi. Question d'équilibre. Luca est tout entier dans ce choix.

Je dis « choix » mais j'ignore la part de ce qui s'est imposé à lui, de ce qui lui a échappé, de ce qu'il n'a pas contrôlé. Je crois, en réalité, qu'il s'est laissé porter par l'instant, par la grâce de notre trouvaille, qu'il n'a pas délibérément cherché à lutter contre sa propension naturelle au silence, au mystère. Il s'est abandonné.

Il a eu raison. Si j'avais découvert, après coup, une dissimulation, je ne la lui aurais pas pardonnée. Anna pardonnera-t-elle ?

Son regard s'est dirigé vers moi mais c'était un regard aveugle, un regard du dedans, et il a juste dit : « Il y a une jeune femme dans ma vie. Elle s'appelle Anna. J'ignore combien de temps elle restera dans ma vie. Peut-être toute la vie. En tout cas, aujourd'hui, sa présence n'est pas discutable. » Je me suis contenté de répondre : « Je ne la discute pas. Je suis ailleurs. »

Il y a des phrases qu'on prononce presque par hasard, sans les réfléchir, sans les travailler, sans souci de produire un effet. Elles jaillissent comme ça, d'une façon tout à fait ingénue, sans la moindre arrière-pensée. Ce sont des phrases enfantines à leur manière, intuitives, involontaires. Et, tout à coup, elles visent au plus juste. Elles sont absolument exactes, parfaitement appropriées. Elles agissent comme une révélation. Et on en est soi-même émerveillé. On a l'émerveillement des enfants, leur joie incrédule.

« Je suis ailleurs », cela a été une de ces phrases pour Luca. En une seconde, elle l'a éclairé, elle l'a rendu à l'innocence. Elle a aboli tout questionnement. Elle l'a libéré du fardeau d'avoir à s'expliquer.

Plus tard, j'ai ajouté : « Cette histoire qui nous réunit, elle n'est pas intelligible. Tu aurais beau la raconter avec les mots les plus simples, personne ne la comprendrait. À quoi bon parler ? » Alors, il s'est tu. Au fond, c'est moi qui l'ai réduit au silence.

En énonçant cela, j'ai admis de n'être rien aux yeux du monde, pour toujours. Mais je n'en avais rien à faire, des yeux du monde. Ce sont les siens qui m'intéressaient.

Un jour, il m'a montré des photos d'Anna, sans articuler le moindre mot. Il les a extraites de son sac à dos, me les a tendues. Au bout de quelques minutes, il les a reprises, les a replacées consciencieusement dans son sac. Je n'ai pas posé de questions.

Luca

J'ai vécu des années heureux. Et, un jour, j'ai été plus heureux encore.

Un dimanche sur deux, j'allais au stade voir jouer la Fiorentina. Je m'asseyais au milieu d'une foule de visages qui me sont devenus peu à peu familiers. Je criais avec les cris. Je levais les bras quand les bras se levaient. Je tapais du poing et mes cuisses étaient tout endolories. Je fermais les yeux aux instants cruciaux et nous étions un peuple d'aveugles. J'injuriais l'arbitre et le fait de n'être pas le seul à l'injurier m'ôtait toute honte. Je voulais embrasser les joueurs mais ils auraient croulé sous nos étreintes. Au bout de deux heures, nous étions épuisés, pantelants, et nous nous promettions de ne jamais abdiquer notre chauvine ferveur.

Le soir, souvent, je mangeais la pasta avec des amis, ou avec Anna. Ça s'enroulait autour des fourchettes, ça dégoulinait de sauce, ça cognait à nos mentons, ça nous obligeait à ouvrir grandes nos bouches et à nous livrer à des contorsions, des pantomimes, ça nous brûlait la langue, ça calait nos estomacs, ça déclenchait nos fous rires.

Le soir encore, nous buvions du vin. Celui de Toscane est le meilleur, personne ne songerait à prétendre le contraire. J'ai encore le goût du chianti dans ma gorge. Et les étoiles qu'il faisait danser dans ma tête. J'ai parfois bu plus que de raison. J'ai recherché le roulis que procure l'ivresse.

Anna me souriait, m'aimait.

Je ne demandais rien de plus. Il est arrivé Leo.

Il y a des hommes chanceux, trop chanceux, même. Je suis de ceux-là. Sauf que je suis mort noyé. Mais qui sait si cela même n'est pas une chance ?

Et je faisais l'amour, évidemment. Beaucoup.

Je me souviens : quand nous avons roulé dans les draps, la première fois, nous avons su que l'histoire avait commencé depuis longtemps.

Est-ce qu'on imagine une chose pareille ? Nous ne connaissions rien l'un de l'autre, et nous avons tout reconnu.

D'emblée, le corps de l'autre n'a pas été un corps étranger. Il nous a semblé que les doigts fébriles avaient déjà laissé leur empreinte sur le grain de la peau, que les odeurs de désir et de fatigue étaient des odeurs familières, que les mêmes gémissements avaient auparavant expiré au creux de nos oreilles, que les cous avaient déjà accueilli ces baisers salés et furtifs, que le va-et-vient des hanches avait eu semblable et entêtante lenteur, que l'ouverture des bras de l'un avait l'amplitude du poitrail de l'autre. Et, dans le même temps, nous savions d'évidence que nous explorions un territoire tout à fait inconnu, que nous avions l'affolement des débutants, la nervosité des novices. Cette double sensation, de la virginité et de l'accoutumance, nous a conduits au plaisir à la même seconde. Il faut avoir vécu la gémellité des secousses pour en être absolument ébloui.

Cet éblouissement de la première fois, j'ai réussi à ne pas l'égarer.

Aujourd'hui, naturellement, je perds un peu la notion de ces choses. La Fiorentina continue de jouer, mais sans moi, ce qui m'aurait paru inconcevable si on me l'avait prédit. Les pâtes fument encore dans les assiettes d'Italie, mais les miennes refroidissent. Le vin coule à flots mais il ne m'irrigue plus. Les corps se mélangent mais, dans ma mémoire, ils deviennent indistincts.

Tout de même, je dois à l'honnêteté de reconnaître que cette indistinction ne date pas d'aujourd'hui.

Anna

J'ouvre les tiroirs, je retourne les feuilles sur le bureau, j'inspecte les vêtements dans les armoires, je soulève les coussins, je consulte les fichiers contenus dans l'ordinateur, je feuillette les livres. J'accomplis ces gestes policiers, sans vergogne, sans affect, avec brutalité. À cette occasion, je découvre une autre moi-même, capable d'une telle abomination. Ou plutôt je la redécouvre. N'était-elle pas là, dès l'enfance, dès la cruauté froide de l'enfance ?

Cela n'est pas difficile, vraiment. Il suffit de se laisser aller, de ne penser à rien, de viser une effrayante vacuité. Il suffit de renoncer à l'innocence pour s'admettre en coupable.

D'abord, je ne trouve rien. Rien ne se détache. Rien n'est saillant. Bien sûr, je m'arrête sur des écrits que je ne connais pas, je m'attarde sur des bibelots que je n'ai jamais remarqués, j'aperçois des taches qui ne m'avaient pas frappée. Je comprends alors qu'on ne voit pas les choses quand on regarde les êtres. Dans son appartement, l'unique objet de ma préoccupation, c'était Luca.

À la fin de mon inspection, je n'ai rien relevé d'inédit, de bizarre. Cela me rassure presque puisque j'en déduis que Luca était transparent pour moi, que toutes ces énigmes autour de sa personne sont absurdes. Cela me décontenance aussi un peu puisque je supposais qu'il m'arriverait nécessairement d'être surprise.

Et puis, inévitablement, imperceptiblement, le doute s'insinue à nouveau. Je pense : tout est trop lisse, trop impeccable, malgré l'apparent désordre. Vrai, si on se livrait à la même fouille à mon domicile, on découvrirait forcément ce que je tiens caché.

Du coup, sans raison véritable, il me vient à l'esprit que Luca a sciemment cherché à effacer des traces, des indices (mais de quoi ?), qu'il s'est efforcé de ne laisser derrière lui que des choses sans importance, un décor peuplé de rien, qu'il en a retiré tous les détails compromettants, toutes les aspérités.

Je m'en veux d'être à ce point suspicieuse, et paranoïaque. Et de l'accuser, sans preuves, de faits auxquels, par ailleurs, je ne saurais pas donner un sens.

Cependant, je suis convaincue que c'est ce soupçon irrationnel et injurieux qui me conduit à observer autrement, et à remarquer finalement parmi les feuillets noircis une page qui n'est pas de son écriture, parmi les vêtements un tee-shirt usagé que je ne lui ai jamais vu porter, et qui est d'une taille inférieure à la sienne, parmi les fichiers un document, un seul, protégé par un mot de passe, dans un des tiroirs la photo Polaroïd floue d'un corps inconnu, et surtout, sur la première page de trois livres, un prénom et un nom griffonnés : « Leo Bertina ».

À la fin, je suppose que Luca n'a sans doute pas cherché à dissimuler quoi que ce soit, d'autant qu'il ne pouvait pas avoir connaissance, à l'avance, de sa propre mort et qu'une tentative de camouflage amènerait à supposer qu'il prévoyait sa disparition. Mais je mesure à quel point il a été un garçon prudent, précautionneux.

Alors, je sens sourdre une colère irrépressible. Je comprends, comme une leçon nouvellement apprise, qu'elle vient du plus loin, qu'elle a été longtemps comprimée. Je comprends qu'une digue pourrait lâcher.

Leo

J'ai toujours aimé les garçons.

Déjà, à l'école primaire, je tripotais mes camarades. Je fourrais ma main dans leur pantalon, je me jetais contre eux dans la cour de récréation, je les suivais dans les chiottes pour apercevoir leur zizi. En classe, j'étais toujours assis à côté d'un garçon. Le plus beau, c'était Alessandro Verrechia. Il avait des boucles blondes, ce qui n'est pas commun pour un Italien. Il ressemblait aux enfants modèles des publicités, il avait leur candeur et leur professionnalisme. Alessandro Verrechia m'aimait bien, sans doute pas exactement comme moi je l'aimais, mais il me laissait me montrer avec lui, tout le temps, le serrer contre moi, le raccompagner à sa maison, après les cours. Je suppose qu'Alessandro Verrechia est aujourd'hui un jeune homme en instance de se marier, que ses boucles blondes ont disparu. Il a peut-être un peu de ventre. Qui sait dans quel caniveau finissent nos enfances ?

À douze ans, j'étais amoureux d'un garçon

prénommé Domenico. Deux ans de plus que moi. Son corps était déjà celui d'un homme quand le mien ne l'était pas encore. Il y avait ce déséquilibre fondamental entre nous, mais qui ne me déplaisait pas. Ses parents habitaient une maison immense, qui possédait des dépendances. Dans un grenier, j'ai touché un sexe d'homme pour la première fois. Cela m'a semblé doux. Cette douceur, je n'ai jamais cessé de lui courir après.

Jusque-là, les choses avaient été pures. C'est juste après que ça s'est gâté.

Le mépris, bien sûr, c'est impossible de ne pas en souffrir, les injures, c'est impossible de ne pas les entendre, les postures caricaturales, c'est impossible de les ignorer. La méchanceté des autres, on la reçoit comme un bagage trop lourd. Elle nous leste, elle est là, présente, à chaque instant. Elle suinte, elle se susurre, ou elle se donne en spectacle. On doit faire avec elle. On doit la prendre avec soi. Le premier courage dans une vie, c'est de résister à cette méchanceté-là, absolument gratuite, vulnérante, c'est de surmonter cette agression des bien-pensants, c'est de recevoir sans broncher les coups assenés par ceux qui ne savent rien mais qui donnent des leçons, par les ignorants perclus des réflexes qu'on leur a inculqués, par les innocents dont la rage surgit du plus profond.

Il y a, je crois, une phrase dans la Bible qui

dit : « Pardonne-leur parce qu'ils ne savent pas ce qu'ils font. » Je ne pardonnerai pas.

Dans les rues de Naples, qui, chacun le sait, est une ville furieuse, j'ai livré des batailles perdues d'avance, des combats vains. Je suis revenu plus d'une fois avec des bleus, des plaies, des pantalons déchirés. Je n'ai jamais renoncé à me bagarrer.

À mes parents qui m'interrogeaient, j'inventais des fables extraordinaires, des balivernes flamboyantes, qu'ils croyaient le plus souvent. Ils ont dû penser que leur fils se forgeait une virilité : ils n'avaient pas tort.

Dans les faubourgs napolitains, au sein d'une famille communiste, on n'a jamais regardé d'un mauvais œil de titiller le bourgeois, et de jouer des coudes pour forcer le passage. Quand j'y songe, le communisme m'a sauvé d'avoir à dire la vérité.

Ça m'est resté, ce goût pour la bagarre. Et pour les garçons.

Je ne savais pas qu'on pouvait savourer la tranquillité, ni qu'on pouvait prononcer des mots d'amour.

Cela, c'est venu avec Luca.

Luca

Donc, j'ai l'éternité devant moi.

Mine de rien, ça fait beaucoup.

C'est incalculable, par essence, l'infini. Les scientifiques vous l'expliquent fort bien. On comprend juste que c'est très long. Ça, ce sont les enfants qui le formulent ainsi. En tout cas, dans mon lit sous la terre, cet infini a l'allure d'une perspective effrayante.

Moi, je n'en avais pas demandé autant.

Ce qui compte, ce qui a toujours compté pour moi, c'est l'instant, sa fugacité. Rien de plus déprimant que le temps qui passe, les années qui flétrissent, les vies qu'on planifie, et les souvenirs qui s'accumulent. Alors, se retrouver comme ça, avec tout le temps qu'on souhaite, et même sacrément plus, ça gâcherait presque, à rebours, le goût des plaisirs éphémères, celui des bonheurs fulgurants.

Dans ma perpétuité, je débusque au moins une consolation : moi, je suis voué à demeurer jeune à jamais, à posséder toujours le visage sans aspérités qu'on a eu la drôle d'idée d'accrocher au marbre de ma tombe. C'est étrange toutefois de se croire intact et impérissable lorsque la chair est devenue de la cendre, lorsque le lierre s'enroule autour de l'armature noircie et trouée. De se croire indissoluble quand on n'est plus qu'un amas de détritus.

Mais cette jeunesse paradoxale et immarcescible, elle constituera aussi la mesure du vieillissement des survivants. Et, au fond, ce que je redoute le plus, c'est mon impuissance à empêcher le temps d'exercer sa funeste besogne sur ceux qui me sont chers, c'est leur condamnation à la dégénérescence.

Je ne peux pas me résigner à la naissance de rides sur le pourtour des yeux d'Anna, à l'alourdissement de son corps, au ralentissement de ses mouvements, quand, moi, je demeurerai ce jeune homme indestructible, éclatant de santé, dans sa mémoire. Je ne parviens pas à imaginer Leo sans sa démarche sèche, son visage imberbe, son rire tonitruant, sa violence contenue, alors que j'aurai conservé une vitalité et une énergie, dans ses pensées.

Enfin, je crois que cette éternité risque de me plonger dans un ennui abyssal. C'est reposant d'être mort, je ne peux pas prétendre le contraire, mais, moi, je n'ai pas cherché le repos.

À la seconde où je me suis abîmé dans le fleuve, je n'avais pas à l'esprit la probabilité de cet ennui, non plus que le nombre des regrets et des interrogations qui commencent à me torturer.

Anna

Je suis allée vers lui pour sa distraction, pour cette faculté inouïe à se tenir en dehors du monde, pour son insouciance.

Les hommes, souvent, ça se jette dans vos bras, ça vous veut tout entière, ça croit que ça a des droits, des prétentions, des exigences, ça fait mine de s'intéresser tout en remontant la main sur vos cuisses. Lui n'a même pas essayé de me séduire, de m'attacher à lui.

Un garçon qui lit Dante en ne se passionnant que pour le football va forcément vous surprendre. Un garçon qui espère que vous ne vous appelez pas Béatrice vous annonce la couleur d'emblée : rien à attendre de lui. Un garçon qui lézarde des heures à la terrasse d'un café sans jamais lorgner votre corsage est à vous désespérer des Italiens : moi, ça m'a fait tourner la tête, tout de suite. Un garçon qui ne vous questionne sur rien parce qu'il escompte la même attitude de votre part vous promet des conversations pas ordinaires et des silences interminables. Un garçon qui ne remarque pas la robe que vous portez exprès pour lui, qui ne vous remercie pas pour le cadeau que vous lui tendez et qui oublie votre anniversaire vous distrait de l'ennui mortel des couples. Un garçon qui se refuse à vous vous fait mieux toucher du doigt l'agacement que suscitent parfois les filles. Un garçon qui ne vous fixe jamais de rendez-vous, qui ne vous annonce jamais quand vous allez le revoir, qui éteint les bougies d'un dîner aux chandelles, qui vous offre ses clés en vous priant de ne pas les utiliser, qui ne passe que trois ou quatre nuits par semaine avec vous alors que les semaines comptent, c'est bien connu, sept nuits, vous lui pardonnez tout ou alors vous prenez immédiatement vos jambes à votre cou et vous ne revenez jamais. Un garçon qui arrive à neuf heures quand vous l'attendez à huit, qui ne s'excuse pas mais qui vous sourit, qui a la bonne idée de vous inviter en vacances et vous charge de régler les détails matériels avec l'agence de voyages ne fait pas preuve de culot mais de confiance en vous et en votre affection pour lui.

Et quand on retrouve le cadavre de ce garçon sur les berges de l'Arno, c'est qu'il n'a pas totalement renoncé à vous surprendre.

Mais, lorsque le doute s'installe, parfois malgré vous, oui, c'est ça, contre votre volonté, ce même garçon peut-il vous sembler subitement égoïste, manipulateur, menteur, profiteur ? Lorsqu'on jette une lumière crue sur la partie du visage demeurée dans l'ombre, peut-il apparaître une difformité inquiétante, une laideur que vous n'aviez jamais aperçue jusque-là ? Les adjectifs que vous employiez pour le qualifier peuvent-ils prendre un double sens ? Ce qui était charmant devient-il agaçant ? Ce qui était surprenant devient-il troublant ?

Le garçon en question n'a-t-il pas d'abord pensé à lui, à son propre bien-être, à son confort personnel, avant toute autre considération, et notamment le vôtre, de bien-être ? Ce qui importait, à bien y réfléchir, n'était-ce pas exclusivement qu'il fût préservé, gâté, au détriment de tout le reste, et de son entourage, y compris le plus immédiat ? Cet ange, devant lequel vous fondiez ou vous prosterniez selon les jours, n'aurait-il pas abusé de sa position dominante, et tiré un peu sur l'angélisme afin d'obtenir de vous ce à quoi sa seule existence ne lui permettait pas légitimement de prétendre ? Ces sourires qu'il vous a adressés, n'était-ce pas seulement pour vous rassurer ? Et cette légendaire distraction, cette charmante ingénuité, au fond, est-ce que ça ne constituait pas une excuse idéale pour vous faire avaler d'innombrables couleuvres ? Enfin, tout son comportement n'était-il pas qu'une merveilleuse imposture, un piège dans lequel vous vous êtes précipitée, puisqu'il est vrai, depuis la nuit des temps, que les filles tombent invariablement dans les pièges que les garçons leur tendent ?

Et ces prénoms inconnus, griffonnés sur la première page des livres, n'annoncent-ils pas des découvertes effroyables ?

Leo

Aux fenêtres des maisons, il subsiste quelques lampions accrochés. Dans la nuit étoilée de cet automne préservé des intempéries pour l'instant, je regarde les lanternes qu'on a oubliées, ou celles qu'on a laissées dans l'espoir de prolonger la joie festive de Rificolona. La ribambelle des lumières s'écrit désormais en pointillé mais il demeure quelque chose de nos réjouissances passées.

Ce sept septembre, Luca était mon compagnon, dans les rues de Florence, et nous montrions du doigt les jolies couleurs que les Italiennes au balcon nous envoyaient. L'air était chaud, la foule était dense, et nous étions dehors ensemble presque pour la première fois, extraits enfin de notre clandestinité.

Il m'avait proposé de le suivre, alors que je n'espérais rien. Il avait dit : « Sortons dans les rues, allons faire la fête, boire du vin. » Je l'avais suivi, sans dire un mot, étonné quand même de sa soudaine envie de quitter l'hôtel, de se montrer à mes côtés.

Auparavant, j'avais enfilé un tee-shirt, passé un jean, remis un peu d'ordre dans mes cheveux. Au moment où nous avions franchi la porte de ma chambre, Luca avait posé sa main sur mon cou. La dernière fois que j'avais pleuré, j'avais neuf ans.

Nous avions marché longtemps dans la ville bruyante, au milieu des rires et des cris. Nous avions bu des bières debout le long des quais de l'Arno. Nous nous étions adossés aux murs de vieilles bâtisses, pour observer un peuple en mouvement. Nous nous étions volontairement égarés dans des ruelles moins éclairées. Nous avions contourné la gare pour ne pas y croiser mes camarades de fortune. Nous avions respiré l'air pollué à pleins poumons. Nous n'avions pas échangé deux mots.

À près de deux heures du matin, un jeune homme, que nous n'avions pas vu venir, s'était approché de nous, avait demandé du feu à Luca, qui, en retour, lui avait tendu son briquet. Avec un désir un peu provocant, il s'était saisi de la main de Luca pour lui signifier qu'il attendait de lui qu'il allume sa cigarette. Luca s'était exécuté dans un sourire. Ils s'étaient fixés, l'un l'autre, plusieurs secondes. Puis la main était retombée.

Lorsque nous nous sommes retrouvés seuls, tous les deux, Luca m'a, d'un seul regard, expliqué que les jeunes hommes de passage, ça n'était pas son truc.

Si, un jour, il me faut répondre à des questions sur ce qui me reliait à lui, je relaterai cet épisode du jeune homme, et du regard qui a suivi. Mais, bien sûr, personne ne comprendra.

Ils emploieront des mots simples, des mots de tous les jours, pour parler de nous, ceux qui parleront de nous. Mais ce ne seront pas les mots qui conviennent. Non pas qu'il soit besoin de mots compliqués ou de formules alambiquées, mais il s'agit de viser juste, de ne pas se tromper. Eux se tromperont. Ils raconteront une histoire et nous en aurons vécu une autre.

Luca

Ce sont les derniers instants de calme.

Les bourrasques s'annoncent. Les paysans de Toscane racontent ça mieux que personne. Ils connaissent par cœur la couleur des ciels, l'inclinaison des oliviers, le souffle du vent. Ils sont capables de vous prédire, avec une précision confondante, le moment où les orages éclateront. Ils se tiennent droit devant les collines, ils n'ont pas besoin de regarder longtemps les coteaux en pente, il leur suffit d'une poignée de secondes. À l'herbe haute qui penche, au frisson qui parcourt la campagne, aux ombres qui se dessinent sur les champs, aux nuages qui se forment, ils peuvent vous annoncer avec certitude à quelle heure la pluie viendra, ils ne se trompent jamais. Vous voyez soudain des vieillards courbés arpentant des chemins de terre qui se décident à regagner leurs fermes, des veuves éternelles musardant aux abords d'un bosquet de cyprès qui abandonnent leurs époux pour s'en retourner dans leurs maisons, vous entendez le chant des cigales qui s'interrompt, vous constatez que les chênes verts sont saisis de tremblote, et les catacombes à ciel ouvert paraissent plus figées qu'à l'habitude. Il n'y a pas à se tromper : l'ondée est pour bientôt.

Sous ma couche de pierre immobile et de feuilles tourbillonnantes, je suis comme les paysans de Toscane pour la première fois. Je sais qu'une averse est sur le point de s'abattre.

Dans la ville aussi, les indices s'accumulent. Le débit de l'Arno s'accélère brutalement, des vagues souterraines viennent cogner contre les piles des ponts, les eaux virent au jaune avec des reflets noirs, les rives disparaissent : le fleuve se prépare. Dans les rues, les passants pressent le pas, ouvrent préventivement des parapluies que le vent emporte, contemplent craintivement les menaces du Très-Haut. Aux terrasses des cafés, les serveurs s'empressent de plier les nappes, puis de ranger les tables. On referme les baies qu'on tenait ouvertes dans l'espoir que le soleil serait au rendez-vous. Les marchands de journaux tirent des bâches sur leurs magazines, et les vendeurs à la sauvette remballent leur matériel : la pluie nuit au commerce. Partout, ce sont des cols qu'on relève, des têtes qu'on baisse, des pas qu'on hâte, tout un peuple qui se disperse. Ce sont des fenêtres qu'on clôt, des rideaux qu'on tire, une attaque militaire qu'on semble redouter.

Et moi, étendu au bord de mon allée où la poussière virevolte, je guette, sans impatience, la menace qui va s'exécuter.

Je n'empêcherai rien. Quand les éléments doivent se déchaîner, nous sommes réduits à l'impuissance. Nous ne sommes que des spectateurs impotents. Il faut « attendre que ça passe », comme disaient nos grands-mères. Elles avaient raison.

Alors, les nuages crèveront comme des abcès. L'eau s'écoulera comme le sang d'une plaie purulente. La colère du torrent ressemblera à celle des dieux. Il y a près de quarante ans, elle avait tout emporté sur son passage. Les vieux Florentins n'ont pas oublié.

Cette fois, combien resteront debout ?

Anna

Je retourne au commissariat aujourd'hui. Toujours les mêmes chaises en plastique vert. Toujours les mêmes affiches invitant la population à la vigilance. Dans les établissements publics, la permanence des choses rassure autant qu'elle frappe. Tout nous paraît familier. Mais, dans le même temps, l'inertie tient lieu de tout. Il semble qu'il n'arrivera rien, que la bureaucratie l'emportera forcément, malgré la bonne volonté de quelques-uns, que le crime ne sera pas stoppé par ces uniformes fatigués, que les mystères ne seront pas élucidés par des fonctionnaires blasés. L'Italie de la résignation est tout entière dans ses commissariats. Celle de la débrouille et de la délinquance est aux portes.

Toujours le même défilé d'éclopés. On rencontre ici des vieillards perdus, des enfants rebelles, des suicidaires ratés, des Turcs menottés, des prostituées derrière les barreaux, des alcooliques entassés contre les grillages, des petits caïds sanguinolents. Quelle différence avec les urgences d'un hôpital de banlieue, un dimanche soir ?

J'ai pris rendez-vous avec l'inspecteur Tonello. D'entrée, il me confirme que son enquête est au point mort. Je n'ai pas le courage de lui faire avouer que d'enquête, il n'y a sûrement pas. Une certaine lassitude et l'espoir inavoué que la piste du suicide comme celle du meurtre soient de fausses pistes me maintiennent dans le silence.

Le policier, derrière sa moustache, évoque, en bloc, « le manque d'effectifs, la montée de la délinquance, les absences pour maladie » qui expliqueraient ce peu d'empressement à débusquer des réponses aux questions qu'il a lui-même posées. Je le considère avec une compassion qui n'est pas sincère mais qui en a l'air, j'en suis convaincue.

Il me confirme qu'il ne sait rien de plus à propos des somnifères utilisés par Luca et qu'il va essayer de déterminer avec plus de précision « les fréquentations du disparu », hors celles de ses proches. Je l'écoute poliment, patiemment.

Comme il n'a rien à m'apprendre, je lui demande simplement si le nom de Leo Bertina évoque quelque chose chez lui. Il suffit que je prononce ce nom pour que sa physionomie se modifie brusquement. On dirait que notre fin limier vient d'avoir une révélation, ou que la foudre divine s'est abattue sur lui. Je ne manque pas de relever ce changement brutal, son empourprement, son intérêt soudain.

« Cet individu est, en effet, connu de nos services. Puis-je vous demander comment vous, vous connaissez ce personnage ? » L'appui sur le « vous », sa répétition, cela me laisse deviner que je ne dois pas être le genre de personne susceptible de fréquenter Leo Bertina. Je pense immédiatement à la séparation des mondes. Et aux images que nous renvoyons.

Je finis par répondre que « non, je ne connais pas ce personnage », que, simplement, son nom figure sur des livres rangés dans la bibliothèque de Luca.

« Vous avez fouillé son appartement ? »

À l'évidence, l'interrogation se veut un reproche. Elle a la teneur d'une inquisition.

« Vous vous souvenez, sans doute, que Luca Salieri et moi étions assez proches. Vous ne serez donc pas surpris d'apprendre que j'ai un accès assez facile à son appartement. » La réplique se veut, elle, teintée d'ironie. Elle a la teneur d'un mensonge.

« C'est le travail de la police d'inspecter les appartements. » L'affirmation a valeur d'injure.

« C'est le mien de chercher à comprendre ce qu'on me cache, et de pallier les carences de la police. » Je ne cherche même pas à nier : il est plus urgent de ne pas laisser l'injure sans riposte.

« Cet entretien est terminé. Nous ne manquerons pas de vous convoquer si nous avons besoin d'informations complémentaires. » La prise de congé est, pour le moins, sèche, courroucée. Je ne juge pas utile d'insister. Je devine aisément qu'on ne me dira rien de plus.

Je quitte le bureau de Tonello en tremblant. J'ai peur de découvrir qui est l'homme capable de déstabiliser un fonctionnaire de police.

Oui, qui est Leo Bertina ?

Leo

Des flics en civil déboulent à la gare et, aussi sec, ils m'embarquent. C'est moi seul qu'ils sont venus chercher, pas de doute. Ils n'inquiètent aucun de mes petits camarades, ne leur jettent même pas un coup d'œil. D'habitude, ils font des rafles si nous ne nous sommes pas évaporés dans la nature comme une volée de moineaux. Sur ce coup, ils se sont dirigés vers moi, vers moi uniquement. Ils m'ont montré leur carte, ils ont décliné une identité que je n'ai pas retenue et ils m'ont prié de les suivre sur un ton ferme mais pas réellement agressif, le genre : « ne fais pas d'histoires ». Du coup, tout le monde reste à sa place, personne ne bouge, personne ne bronche non plus. Il y a bien longtemps qu'on ne proteste plus. Quand je me retourne, au moment de quitter l'enceinte de la gare, j'aperçois toute la brochette des garçons, adossés contre les pylônes, et cette vision me rassure.

Je les connais, les flics, je les ai déjà vus. L'un

d'eux est même assez joli : s'il ne se tenait pas du mauvais côté de la barrière, je serais tenté de lui proposer un aller simple pour des plaisirs ordinaires. Mais il est sûrement marié. Vous me direz : il y a beaucoup d'hommes que leur statut d'époux n'empêche pas de finir au lit avec un type de vingt-deux ans.

Sur le chemin du commissariat, dans la voiture de police, ils ne m'adressent pas la parole. C'est un peu irréel, ce silence. Il s'apparente à de la gêne, une gêne renforcée par notre proximité. Le genou du joli flic touche le mien, dans chaque virage. À un moment, je me tourne vers lui et son regard se trouble. Je pense que sa femme a du souci à se faire.

Une fois arrivés, ils me conduisent jusqu'à l'inspecteur Michele Tonello. Je ne le déteste pas, Tonello. C'est un mec réglo. Avec sa petite moustache, il a un côté désuet qui vous donnerait presque confiance dans la police.

« Leo Bertina, ça faisait un bail ! » Il a aussi cette façon de mettre à l'aise qui décontenance toujours. Nous ne sommes pas familiers, lui et moi. Nous ne serons jamais des alliés, encore moins des amis. Nous mesurons tout ce qui nous sépare, un gouffre. Il n'existe entre nous aucun respect réciproque, aucune estime, aucune connivence. Il ne s'agit même pas de déterminer si nous nous plaçons ou non sur un pied d'égalité. Nous n'appartenons pas au même monde, un point, c'est tout. Pourtant, je ne saurais pas expliquer pourquoi je ne perçois pas d'hypocrisie dans son accueil. Je crois que nous savons, lui et moi, ce que nous pouvons attendre de l'autre.

Nous savons, lui et moi, que nous nous retrouvons face à face pour évoquer Luca Salieri.

« Si tu me racontais ce que tu as fait, dans la soirée du vendredi 19 septembre... » J'avais presque oublié que Tonello ne s'embarrasse pas de présentations, de formalités. Il va droit au but, sans doute parce que les détours le fatiguent. L'inspecteur est un homme fatigué.

« Je suppose que c'est inutile de vous mentir. » Je pourrais résister, ne pas répondre aux questions, biaiser, me soustraire à cette inquisition, cette intrusion dans ma vie personnelle. Je pourrais me rebiffer puisque ce n'est pas le prostitué qu'on interroge, à qui on demande des comptes, qu'on menace d'une nuit dans le poulailler. Je pourrais refuser de fournir des détails sur une nuit que je n'ai pas passée avec des clients, de me justifier sur ce qui ne relève que de mon intimité. Mais s'ils m'ont convoqué, c'est parce qu'ils ont déjà appris l'essentiel, sans que je sache comment. À quoi servirait de les envoyer balader ?

« Inutile, en effet. D'autant qu'à ce stade tu

n'es entendu qu'en qualité de témoin. » Je sais que le stade d'après, c'est celui d'accusé. J'essaie de me rappeler les crimes que j'ai commis.

« Le vendredi 19 septembre, j'étais avec Luca Salieri. »

Luca

Ça se précipite. Et ça se rapproche.

J'aurai été trahi par une poignée de livres. Je n'avais même pas pris garde au fait qu'ils étaient annotés. Mes dénonciateurs étaient muets. Difficile à prévoir.

Désormais, ça va dérouler. Comme dans la tragédie. Il n'y a rien à faire. C'est enclenché, ça ne s'arrêtera plus. On aura beau espérer une rémission, un hasard, une chance, un accident, ça ira quand même jusqu'à son terme et ce terme, il est entendu.

À partir de maintenant, c'est sans surprise ou presque. Il y aura peut-être quelques rebondissements, on s'y reprendra peut-être à plusieurs fois mais on sait pertinemment où on va : dans le ravin.

Dans la tragédie, c'est commode, on n'est pas encombré par l'espoir, sauf celui d'un miracle. Mais le miracle n'aura pas lieu. Puisque Dieu n'existe pas.

Il va falloir boire le calice jusqu'à la lie, remuer toute la boue, mettre en lumière toutes les zones d'ombre, affronter des désordres, côtoyer la fange, pointer les inconduites, les indécences, les indignités, jeter des opprobres, chercher des explications, des justifications, des excuses, les trouver ou pas.

Au final, tout le monde sera perdant et c'est justement ça que j'avais souhaité éviter. Et on ne me fera même pas crédit de cette volonté de ne pas faire souffrir.

Je songe aussi aux suspicions, aux insinuations, aux accusations qui vont fleurir, comme des chrysanthèmes sur ma tombe ou comme une tumeur. J'imagine les hypothèses qui vont être échafaudées, les fausses pistes sur lesquelles nos limiers vont se lancer. Mais jamais ils ne parviendront jusqu'à la vérité. Même si on leur raconte tout ce qu'on sait.

Simplement, ils me verront d'un peu plus près, et ça ne sera pas toujours beau à voir. Les garçons beaux de près sont des merveilles. Et des exceptions. Quand on en repère un, on ne doit pas le lâcher. Leo était de ceux-là.

Ils vont accéder à l'envers du décor. Ils constateront que je n'étais pas seulement ce jeune homme éblouissant, admirable qui les arrangeait tant, cet être rêveur et charmeur qui les attendrissait. Ils s'approcheront de mes ombres, de mes reflets troubles. Ils crieront à la vilenie, à la trahison. Ils ne songeront pas une seconde que tout ceci est la même personne, et forme un tout. Et qu'il n'y a pas à s'offusquer, s'ils acceptent de dépasser la honte et la hargne que je ne manquerai pas de leur inspirer.

Anna

Je décline son identité.

Leo Bertina.

Je détache les cinq syllabes.

Et j'observe les réactions de Susanna et Giuseppe. Elles sont éloquentes : Tonello a parlé. Le nom a été livré en pâture aux parents qui n'aspiraient pourtant sans doute qu'à la tranquillité, qui avaient déjà leur dose de cauchemar et qui n'en demandaient pas davantage, qui espéraient sûrement avoir déjà payé leur tribut à l'horreur. Leurs deux visages s'affaissent ensemble. Il y a de la contrition dans leur expression, de l'accablement. Ils font peine à voir. Mais personne ne les déchargera de cette peine. Elle est pour eux, et pour eux seuls, jusqu'à la fin de leurs jours.

D'abord, ils refusent de m'en dire davantage. Ils se murent dans leur mutisme comme ces rongeurs qui se réfugient dans leur terrier. Ils sont des rongeurs, de petits animaux condamnés aux profondeurs.

Je sens que Susanna est au bord de céder

mais Giuseppe la contient d'une seule pression de la main sur le bras. Les grandes familles sont ainsi constituées : elles ne disparaissent que lorsque le vernis craque. Ce qui importe, c'est donc de ne pas entamer cette couche de vernis.

Un coup de téléphone vient me sauver d'une nouvelle mascarade. Un coup de téléphone comme un coup du sort. La gouvernante apporte un message et Giuseppe prend congé de nous. Il sait déjà qu'à son retour j'aurai appris ce qu'on m'a caché jusque-là. Il s'y résigne à la fin, comme on accepte une fatalité.

Susanna résiste encore un peu. Et j'ignore si cette résistance a pour but de me protéger, moi ou de la protéger, elle. Je sens que l'aveu est difficile, mais il paraît plus difficile à concéder qu'à entendre. Certes, on répugne, dans la bourgeoisie, à faire étalage de ses turpitudes, mais quels dérèglements, quels déshonneurs méritent autant de précautions ? Faut-il que les vices soient terribles pour être entourés d'autant d'embarras ! Je m'essaie à l'ironie personnelle pour me divertir de la peur, comme lorsqu'on traverse des précipices.

« Leo Bertina est un jeune prostitué qui officie habituellement à la gare de Florence. » C'est curieux, le vocabulaire. Je devrais retenir le terme « prostitué » et je suis frappé par le verbe « officier ». On ne se débarrasse jamais tout à fait des bonnes manières dans les bonnes maisons.

« Que son nom ait été repéré sur certains des livres appartenant à Luca indique qu'ils se connaissaient peut-être, tous les deux. Les policiers cherchent à comprendre les raisons d'une telle fréquentation. » Maintenant, c'est le mot « fréquentation » qui retient mon attention. Ou plutôt il me blesse. Je lui confère une signification amoureuse, qui n'est pourtant pas dans la bouche de Susanna. Ma tête va éclater.

« Que soupçonnent-ils exactement, s'ils soupçonnent quelque chose ? » Se donner une contenance, se concentrer sur ce qui est dit, s'en tenir à une dimension objective de la situation, faire croire qu'on s'intéresse alors qu'au-dedans, tout s'est effondré.

« Ce Bertina est connu de leurs services. Il a passé un peu de temps en prison pour vol. Il a pratiqué le chantage également sur un père de famille, il y a deux années de cela. Luca a peut-être été victime d'une tentative d'extorsion de la part de cet individu. »

Je n'ose pas demander comment il aurait pu se mettre entre les mains d'un maître chanteur. Je devine la réponse.

Leo

La voix de Tonello est traînante, presque suave. Ses manières sont un peu précieuses. On ne se sent pas en danger, avec lui. Pas en sécurité non plus, il ne faut rien exagérer. Mais on devine qu'on peut se laisser faire, même si on sait que se laisser faire, c'est se laisser avoir.

C'est la première fois que je vais être autorisé à parler de Luca, à prononcer son prénom, en dehors de l'intimité de la chambre d'hôtel. La première fois que je vais m'entendre parler de lui à voix haute, sans sa présence. J'en ai rêvé souvent, de cette première fois. Je ne me doutais pas que celui qui recueillerait mes confessions serait un inspecteur de police.

À quoi cela va-t-il ressembler, la sonorité de son prénom dans le bureau sans charme d'un commissariat ?

Ça me brûle maintenant. Ça me dévore à l'intérieur. C'est à mi-chemin entre l'incendie et le cancer. J'éprouve la nécessité de parler, de poser des mots sur le silence de toujours.

Pourtant, j'ai beau les avoir retournés mille fois dans ma tête, les mots, je ne suis pas assuré de les retrouver tous. Je suis même certain que ce sont d'autres mots qui vont sortir, moins justes, à côté de la plaque. Certain qu'ils seront en dessous de la vérité, ou ailleurs. Et que l'inspecteur mettra les siens propres à la place. À la fin, ce sera une bouillie.

Et quand on a porté un mystère si longtemps, est-ce qu'on devient léger, si on s'en déleste ? Ou, au contraire, regrette-t-on d'avoir parlé, d'avoir offert aux autres ce qui n'appartenait qu'à soi ? Se sent-on libéré ou dépouillé ?

« Quelle était la nature exacte de tes relations avec Luca Salieri ? » La question est nette, pas emberlificotée, elle vise à l'essentiel, elle est formulée de manière ouverte, à la fois pour ne pas braquer et dans le but de recueillir le maximum d'informations. Tonello, à sa façon, est un professionnel.

« Il venait me rejoindre de temps en temps à l'hôtel Solferino, là où j'habite. » Ne pas se livrer d'un coup, s'en tenir au basique pour le moment, aux faits vérifiables, ne pas l'amener là où il s'égarerait.

«C'était un client? Un client régulier?» Nous sommes dans des cases. Nous avons des emplois. Pour Tonello, je fais la pute, rien d'autre. Je n'ai pas d'autre utilité, d'autre fonction. Ceux qui me côtoient le font obligatoirement pour des raisons professionnelles. Du reste, si je me trouve face à lui aujourd'hui, c'est uniquement parce qu'il est policier. Nous n'aurions pas pu nous rencontrer dans d'autres circonstances que celles provoquées par nos professions respectives.

« Non. » Voilà. C'est ça, le grain de sable dans cette mécanique parfaitement huilée, la tache sur cette page blanche où l'histoire ne demandait qu'à s'écrire en lettres rondes et simples et prévisibles, l'incongruité dans notre monde qui tourne tellement rond. La surprise se lit sur la face triste de mon interlocuteur. Mais Tonello n'est surpris que parce qu'il estimait que les règles étaient établies entre nous, que je ne me déroberais pas, que je ne lui mentirais pas. Il est désappointé, presque déçu. Tonello ne peut pas concevoir que je dis la vérité. Ce malentendu fondamental nous sépare absolument.

Luca

Pauvre Leo.

Ils vont l'humilier, le conduire au-delà des limites de l'impudeur, le forcer à dire l'indicible. Et lui, il n'aura à sa disposition que son pauvre vocabulaire, celui des gens heureux, et sa violence, celle des petites frappes puisque c'est ainsi qu'on désigne les gens comme lui, commodément.

Ils vont exiger des détails, des dates, des lieux, des circonstances. Mettre en doute insidieusement ses affirmations. Lui faire comprendre qu'ils ne sont pas dupes, qu'il ne faut pas les prendre pour des imbéciles. Et il va s'emporter, emprunter des raccourcis, et leur donner raison contre son gré.

Ils le manipuleront, le menaceront, le cajoleront tour à tour et il finira par céder. C'est toujours la fragilité qui a le dessus dans ces situations. La sienne vient de l'enfance, elle ne l'a jamais quitté. La dureté n'est que celle de l'apparence.

Pauvre Anna.

Elle va se perdre dans les affres d'un questionnement sans fin. Elle sera comme un bout de bois balancé dans un puits et qui rebondit contre les parois, dans un bruit sourd, et dont la chute interminable s'accélère jusqu'à toucher un fond toujours plus lointain.

Elle va partir à la recherche d'une frontière toujours repoussée, avant de découvrir des territoires nouveaux et désolés.

Elle n'échappera pas aux approximations, aux interprétations. Elle aura besoin de se rassurer, de se raccrocher aux branches, même si elles sont pourries. Pour ne pas être engloutie par les sables dans lesquels elle se débattra, elle agrippera ses mains au bâton qu'on lui tendra. Elle se rendra compte trop tard qu'il s'agissait d'une lame.

Pauvres parents.

Les voici condamnés à revivre ce cauchemar qu'ils croyaient enterré au fond de leurs mémoires, ces désastres traversés alors que j'avais dix-sept ans. Tout leur est redonné, intact. C'est le passé qui se présente devant eux, ce sont ses fantômes, ses remugles.

Ils s'imaginaient sortis d'affaire, débarrassés de ce qui les avait encombrés, et voilà que tout recommence. Ils se croyaient lavés de tout soupçon, propres à nouveau, préservés des éclaboussures, mais l'infamie, ça a la peau dure, pas vrai ?

C'est comme une tache qui ne part pas, une souillure qui ne disparaît pas, une tare qu'on doit porter pour toujours, un péché qu'aucun dieu n'absout. Les christs en croix ne seront d'aucun secours, les madones drapées dans leur douleur sur les peintures du grand escalier ne replaceront personne dans le droit chemin, les prières aux messes du dimanche matin n'auront pas lavé la faute originelle. Ils n'éviteront pas l'enfer, la damnation.

Tout cela prêterait à rire mais ce serait d'un rire sardonique et désespéré.

Anna

Je contemple la mère, cassée en deux, repliée sur sa honte, et qui espère, contre l'évidence, que ce qui reste à découvrir n'est pas pire que ce qu'elle sait déjà. Je la contemple, avec son air hébété, ses gestes maladroits, son égarement, ses jambes qui tremblent nerveusement, ses mains osseuses qui chiffonnent un mouchoir en dentelle. Je la contemple dans sa robe stricte, au pied de ses armoiries, petite chose fripée et un peu ridicule, écrasée par une fatalité. Et, tout à coup, c'est moi que je contemple : je ne lui ai jamais ressemblé autant qu'aujourd'hui. J'ai sa vieillesse étriquée et je porte comme elle une malédiction innommable.

Au fond, je lui ressemble depuis le premier jour, à la mère. Je ne suis pas entrée dans cette famille : je m'y suis fondue. On n'a pas eu besoin de m'y accueillir : j'étais déjà chez moi. Je n'ai pas cherché les codes ni les repères : je les possédais tous.

Je me répète pour moi-même chacun des termes

que Susanna a employés. J'ai conscience qu'ils ont été mesurés au cordeau, minutieusement élus. Qu'ils cherchent à minimiser, à dévaluer, à banaliser. Il faut que tout ça soit insignifiant. Mais c'est justement cette tentative de dépréciation qui forme le relief de ce qui est révélé. C'est cette manière d'être évasif qui aiguise l'attention. C'est cette dissimulation qui force à chercher plus avant. Ce sont, comme toujours, les non-dits qui nous renseignent le plus, les hésitations qui trahissent une vérité, les yeux détournés qui nous conduisent à regarder dans une autre direction que celle qu'on nous indique.

Et puis, les questions surgissent.

Comment Luca a-t-il pu faire la connaissance de Leo Bertina ? En quelle occasion ? À quel coup du sort doit-on cette rencontre improbable ? Comment concevoir un tel rapprochement, que la distance de leurs vies respectives dément ?

Se sont-ils vus souvent ? Se sont-ils « fréquentés », pour reprendre le verbe désuet de Susanna ? Je suppose qu'on ne détient pas les livres d'un autre chez soi, si cet autre est un parfait inconnu.

Et, s'ils se sont vus souvent, que se racontaient-ils ? Qu'avaient-ils à partager ? Que possédaient-ils en commun ? Quels étaient les points de raccrochement, les « zones d'intersection » ? D'où leur venaient leurs accointances ?

Luca était-il informé du casier judiciaire de Leo Bertina ? Que connaissait-il précisément de ses activités passées, de ses occupations présentes ? Quel était le degré de leur intimité, de leur confiance réciproque ?

Leo Bertina a-t-il cherché à nuire à Luca ? L'a-t-il entraîné par le fond, a-t-il exercé sur lui des menaces, une influence malsaine ? Ou bien Luca s'est-il laissé entraîner ? Cela pouvait être tellement son genre. Ou encore s'est-il jeté de lui-même dans la gueule du loup ?

Leo Bertina est-il un loup ?

À propos de quoi les policiers vont-ils l'interroger ? Ont-ils des doutes, des indices ? Et de quoi ? Détiennent-ils des preuves ? Et de quoi ? Va-t-on lui demander des comptes ou seulement se livrer à des vérifications de routine ?

Et, soudain, toutes ces questions deviennent intolérables. On prend sa tête entre ses mains et on hurle en silence.

Surtout on ne formule pas la seule question qui vaille.

Lorsque je prends congé de Susanna, lorsque je suis expulsée dans la rue, les fumées noires des pots d'échappement s'attaquent à mon visage. Une pétarade retentit : c'est un scooter qui démarre. Je suis rendue à l'urgence motorisée. C'est un passant de hasard qui retient ma chute et m'évite d'aller me cogner contre le trottoir.

Leo

« Je ne suis pas sûr de saisir. Luca Salieri venait te rejoindre dans ta chambre d'hôtel et tu soutiens qu'il ne payait pas tes services ? » Les questions se font moins patientes, plus tranchées. C'est qu'il s'agit d'établir des faits, de dresser un procès-verbal avec des mots simples, compréhensibles par tout le monde, comme à l'école quand il fallait cocher d'une croix ou remplir des cases. L'inspecteur Tonello a besoin que mes explications entrent dans ses cases.

« C'est ça. Vous avez bien *saisi.* » Utiliser son vocabulaire. Et le renvoyer dans ses buts. Prendre le risque de l'énerver.

« Tu peux me raconter alors ce qu'il venait fabriquer dans ta chambre ? » Pouvoir, peut-être, mais vouloir ? mais devoir ?

« Un jour, il s'est présenté devant moi, à Santa Maria Novella, à la gare. Il a dit qu'il s'appelait Luca Salieri. Je ne l'avais jamais vu avant. J'ai supposé qu'il voulait coucher avec moi. Ce n'était pas un bon jour : je l'ai presque insulté. Lui, il n'a pas bronché. À la fin, il a prétendu que nous pourrions être frères. Je l'ai cru. Je ne saurais pas vous dire pourquoi, mais je l'ai cru. Est-ce que vous comprenez ça ?

— Non. Pour moi, c'est du charabia. » L'inspecteur ne s'embarrasse pas de périphrases, ne cherche pas à plaire, ni à composer. Les euphémismes, les subtilités, très peu pour lui. À la limite, je préfère. Au moins, on ne perd pas son temps.

« Vous couchiez ensemble, oui ou non ? » Être binaire. Fermer le jeu. Tonello a du métier.

« Si la question se pose seulement comme ça, alors, la réponse est oui. » Sur son visage, soudain, le soulagement du policier qui vient de recueillir un aveu. Un relâchement de tout le corps. Et le frisson d'une victoire. Dérisoire.

La suite figure sur un procès-verbal. J'ai signé, sans la relire, sans même y jeter un coup d'œil, une feuille à en-tête de la police nationale, qu'on m'a tendue. Les mots étaient sans doute les miens.

« Tu vois : on progresse. Et donc la nuit de sa mort, vous l'avez passée ensemble ?

— La nuit du vendredi, on l'a passée ensemble. Je ne sais pas si c'est la nuit de sa mort. Je ne sais pas quand il est mort.

— Cette nuit-là, justement.

— Vous me l'apprenez.

— Ça n'a pas l'air de te surprendre.

— C'est sa mort qui m'a surpris. Le reste, c'est accessoire.

— Pas si on l'a poussé dans le fleuve, après l'avoir bourré de somnifères.

— C'est absurde.

— Tu en es si sûr ?

— Je ne suis sûr de rien.

— On est pareils, au fond, toi et moi. Sauf que je suis plus curieux que toi.

— C'est votre boulot.

— Et ça n'est pas drôle tous les jours.

— Il y a des satisfactions quand même...

— Comme quoi ?

— Comme obtenir d'un suspect qu'il vous affirme qu'il a bien balancé son amant dans le fleuve.

— Tu n'es pas un suspect. Juste un témoin. Pour le moment. »

Luca

Il a ouvert la porte, il est passé devant moi, je l'ai suivi, l'histoire avait commencé.

Il m'a dit qu'il ne recevait personne dans cette chambre, que j'étais le premier à y entrer. Je n'ai pas mis sa parole en doute.

Il ne devait pas y avoir de mensonge entre nous. J'ai pensé qu'il était possible d'en terminer avec le mensonge.

Je me tenais debout au milieu de la pièce, dans la pénombre. Il a ouvert les fenêtres. J'ai aperçu le fleuve. J'ai eu la confirmation que je ne m'étais pas trompé.

Je suis resté debout longtemps. Il ne m'a pas invité à m'asseoir. Pourtant, il n'y avait pas de gêne. Pas du tout.

Pour se rendre à la salle de bains, il m'a frôlé. Il portait sur lui l'odeur de la gare.

Je me suis retrouvé seul. J'ai pris mes marques. Tout de suite, je me suis senti chez moi.

Quand il est revenu dans la pièce principale,

ses cheveux étaient humides, ça dégoulinait sur son tee-shirt. La scène m'a semblé familière.

Il a mis de la musique, un air traînant et triste, sur lequel s'est posée une voix déchirante. J'ai reconnu *Broken Statue* de Perry Blake.

Il a allumé une cigarette. Il s'est assis sur le canapé. Quand je me suis assis à mon tour, il m'a tendu la cigarette.

Par la fenêtre ouverte montaient les bruits de la circulation en contrebas. Et des cris d'enfants.

Il a fini par dire : « Je m'appelle Leo. » J'ai répondu : « Je sais. » Il ne m'a pas demandé comment je connaissais son prénom.

Il s'est reculé sur le canapé, a posé sa nuque contre le rebord. Sa tête est partie en arrière. Sa pomme d'Adam était saillante.

Je me suis incliné vers lui. J'ai couché ma tête contre son ventre, replié mes genoux pour que mes jambes ne dépassent pas du canapé. Je me suis endormi entre ses hanches.

Quand je me suis réveillé, le soir était là. Lui, il n'avait pas bougé. Sur le côté, plusieurs cigarettes étaient écrasées dans un cendrier.

La fenêtre était encore ouverte. Le disque avait cessé de tourner depuis longtemps. Mais les voitures passaient encore en contrebas. Les enfants étaient rentrés chez eux

Je me suis redressé, j'ai frotté mes yeux, j'ai fixé le vide.

Il a déplié son bras, posé sa main sur le bas de mon dos. Je me suis retourné pour l'embrasser.

J'ai pensé qu'il était possible d'en terminer avec le mensonge.

Anna

L'inspecteur a accepté de me recevoir à nouveau. Il me donne la sensation d'accomplir un acte de compassion, d'exprimer sa commisération. Il a cet air désolé qu'ont parfois nos proches lorsqu'ils sont contraints de nous annoncer une mauvaise nouvelle, ou lorsqu'ils tentent de nous consoler d'une déconvenue. Même sa poignée de main est molle. S'il ne résistait pas à cette incongruité, il me serrerait dans ses bras. Je dois faire peine à voir.

Je ne lui demande rien. Tout à coup, me trouver là, face à lui, dans ce bureau miteux, cela me coupe la parole, cela me réduit au silence. Je suis incapable d'articuler le moindre mot. Je suis saisie d'une sorte de nausée. C'est un exploit de ne pas éclater en sanglots.

Lui, il voit ça, que je suis désemparée, mortifiée. Il a dû en voir d'autres, pourtant. C'est un habitué du malheur. C'est un blasé de la détresse. Et, néanmoins, on dirait que je lui inspire une sympathie particulière. C'est quelque chose dans la douceur de son regard, la lenteur précautionneuse de ses mouvements, une manière d'attention. Je suis la femme handicapée, celle qu'on cale au fond de son fauteuil. Je suis la femme aveugle, celle qu'on aide à traverser.

Je ne joue pas la comédie. Je ne cherche pas à amadouer l'inspecteur. C'est tombé sur moi, ça m'écrase, ça fait plier mon échine, ça m'écrabouille. Comme si la menace qui planait au-dessus de ma tête s'était enfin décidée à s'abattre sur moi, et que je ployais sous son poids.

Tonello me tend un verre d'eau. Je bois comme un enfant, je lape comme un chat. Une régression.

Je finis par ânonner : « On m'a appris qui était Leo Bertina. Pourquoi ne m'avez-vous rien dit, lorsque je suis venue vous voir ? » Ce balbutiement, c'est le retour à l'enfance, encore.

« Je n'étais pas autorisé à vous communiquer ce genre d'information. Malgré vos liens avec la victime, vous n'appartenez pas à la famille. » Le sang tient lieu de tout. Si on n'est pas du même sang, on n'existe pas. C'est inscrit dans les Tables de la Loi.

« Mes liens avec la victime... Vous avez une façon d'énoncer ces choses... Le langage de la police n'est pas sentimental. Mais c'est vous qui avez raison. Surtout que ma connaissance de la *victime* n'était visiblement pas si intime que ça... » Cet aveu-là est le plus douloureux.

Quand on l'a fait, on peut espérer avoir accompli le plus dur.

« Vous ignoriez tout de la relation qui existait entre Leo Bertina et Luca Salieri ? » Je constate que le policier reprend rapidement le dessus. La compassion n'aura pas duré longtemps. Le soupçon, c'est une déformation professionnelle. Si je ne m'étais pas présentée de moi-même, sûr qu'il aurait fini par me convoquer.

« Vous imaginez vraiment que j'étais au courant ? Et d'ailleurs, au courant de quoi, au juste ? » Ne pas le laisser me bousculer, me maltraiter, le remettre à sa place, montrer du doigt son indécence, son indignité, son outrage.

« Vous ne saviez pas qu'ils étaient amants ? » En une seconde, la vision d'un saint Sébastien criblé de flèches. La sensation très précise d'être traversée de part en part, d'être plantée de banderilles, que des lames font le voyage dans mon corps. Il ne faudrait jamais mettre de mots sur nos terreurs.

« C'est curieux qu'il ait réussi à vous dissimuler sa double vie, que vous ne vous soyez rendu compte de rien. » L'insinuation, l'ironie glaçante, le reproche, la suspicion, l'accusation à peine voilée, rien ne me sera épargné.

Ce n'est pas assez de le savoir mort. Il faut qu'on l'assassine à nouveau, et moi aussi par la même occasion.

Leo

« On va avoir besoin de procéder à une vérification. L'autopsie a révélé la présence de sperme sur les muqueuses de Luca Salieri. Je suppose, compte tenu de ce que tu m'as appris, qu'il s'agit du tien, mais nous devons l'établir d'une manière irréfutable. Je vais donc te demander de nous fournir un échantillon de ton sperme, que nous comparerons aux prélèvements que le médecin légiste a effectués. Si tu veux bien passer dans la pièce d'à côté.. Un brigadier t'attend. Il te procurera le matériel nécessaire. » Le ton employé par Tonello est d'une neutralité confondante.

À ce qu'il m'annonce, je ne rétorque rien. J'accepte d'être un morceau de viande, un animal de laboratoire ou de foire. Si je réfléchis plus d'une seconde à ce qu'on exige de moi, je commets un meurtre.

La pièce où on me conduit est une mansarde seulement équipée d'un Velux. Elle a pour unique mobilier un paravent. Le brigadier qui m'y accueille est l'un de ceux qui sont venus me chercher à la gare, celui qui est joli et dont le genou touchait le mien dans les virages. Il a un air penaud. On l'a forcément prévenu de ce qui l'attend. Ce doit être une sorte de bizutage, un rite initiatique. À sa sortie, ses collègues se moqueront de lui, avec des rires gras et des claques dans le dos.

Il a apporté un verre, qu'il me tend. Il ne sait pas s'il doit me dispenser des explications, et y renonce finalement. Il me montre d'un coup d'œil le paravent, comme si je n'avais pas compris. Sa gêne fait plaisir à voir, elle a quelque chose d'incroyablement réjouissant.

Comme je ne me décide pas à me faufiler derrière le paravent, il m'apprend que, d'habitude, on fournit des revues pornographiques pour stimuler l'imagination de ceux qu'on soumet à cet exercice singulier et s'excuse tout aussitôt. « On n'a pas de magazines avec des hommes. On n'en a qu'avec des femmes. »

Je le regarde, avec un peu de pitié, mais sa phrase est sans réplique possible.

Alors, d'un coup, nous éprouvons la solidarité des désarmés, la fraternité des démunis. Nous ne sommes plus des étrangers ou des ennemis. Tout antagonisme s'évanouit. Ne reste qu'une misère indépassable, que nous nous partageons.

C'est lui qui s'engouffre dans mes bras en premier. La première étreinte, c'est la sienne.

Il a la brusquerie des enfants, qui vous étouffent. Et leur frayeur, quand ils craignent que vous ne les abandonniez. Je garde les bras ballants autour de son étreinte, quelques instants, puis je finis par les replier sur lui. Mes mains remontent jusqu'à sa nuque, s'en saisissent, la caressent. Chaque visage est posé sur l'épaule de l'autre.

Alors les visages se reculent, au même moment, et très lentement. Ils se désencastrent des épaules, pour se faire face. Les regards sont ceux des désespérés, des naufragés.

Les lèvres se trouvent, les bouches se prennent. Nos baisers sont cannibales.

À la fin, j'ai juste le temps de me saisir du verre qu'il a apporté. Le foutre gicle contre les parois. Quelques gouttes perlent sur son ventre.

Le sperme retrouvé sur les muqueuses de Luca, évidemment, c'est le mien.

Luca

Cette fois, l'automne est vraiment là. Cette grisaille sur tout, cette froidure qui donne la chair de poule, ces feuilles mortes qui dégringolent, ces pluies fines qui glacent jusqu'aux os, impossible de ne pas les reconnaître.

L'Arno est encore monté d'un cran. Le fleuve a toujours été un bon baromètre. Il est la mesure des accalmies et des désastres.

Dans mon cimetière, je me suis habitué à percevoir les rumeurs du monde, les soubresauts des humains. J'ai développé mon acuité. Je suis sensible aux moindres variations. Je ressens mieux que quiconque les tremblements de la terre.

J'entends les cœurs qui cognent, les veines qui battent aux tempes. Je devine les vacillements, et les écroulements à venir.

Je ne déplore plus mon impuissance : j'ai fini par m'y résoudre. Mon immobilité devient de la tranquillité.

Il faut conserver son sang-froid sous les orages. Et Dieu sait que mon sang est froid.

J'accompagne en silence ceux qu'on blesse. Je suis cette ombre qui plane sur eux, non comme un péril mais comme le souvenir d'une présence.

Je voudrais être une douceur pour eux, dans cet automne. Pour l'instant, cependant, ils n'éprouvent que ma rudesse, mon inclémence, vraisemblablement. Mais l'été revient toujours.

On ne croira pas à mon innocence, ni à ma sincérité. On aura tort. Bien sûr, je ne suis pas en mesure de fournir des preuves mais, moi, je sais ce que j'ai fait.

Si Anna vient, un de ces jours prochains, refleurir ma tombe, je lui expliquerai tout cela et elle repartira rassérénée. C'est à cela que ça sert, les recueillements sur les pierres tombales.

Leo, lui, ne rappliquera pas par ici. Pourtant, il aime les fleurs. Il a appris à les aimer. Il avait été surpris, la première fois que je lui en avais offert. Il ignorait qu'on pouvait offrir des fleurs aux garçons.

Mes parents, eux, ne m'oublient pas. Mais ils n'entendent pas mon murmure. Mes chuchotements ne parviennent pas jusqu'à leurs oreilles. Ils n'entendaient déjà pas mes cris, il y a des années de cela.

Anna

« Qu'essayez-vous de me faire dire ? Allez au bout de vos questions. Elles sont tellement ignobles. » La colère, enfin. La colère qui surgit. Finies, la placidité, l'élégance, la bonne éducation. Il faut que ça sorte maintenant, que je l'expulse, toute la mauvaise bile. La brutalité, je l'ai tenue cachée depuis toujours, mais nous en avons tous la même dose, non ?

« Pardonnez-moi si je vous ai blessée mais je ne comprends pas votre irritation. » Le plus insupportable, c'est cette hypocrisie, cette manière de me parler comme à une idiote, cette condescendance. Je préfère la méchanceté pure, affichée, assumée. La cruauté, au fond, c'est plus facile à affronter que cette ingénuité fielleuse.

« Je ne suis pas irritée. Je suis folle de rage. Et de chagrin. » C'est autre chose, en a-t-il conscience ?

« Je dois faire mon métier. Ne négliger aucune hypothèse. La mort de Luca Salieri n'est toujours pas élucidée. Le décès accidentel est, à ce stade, le plus probable. Mais le suicide n'est pas à exclure. Et le meurtre est toujours possible. » En fin de compte, le suicide ne me déplairait pas.

« Qu'est-ce que j'ai à voir là-dedans ? » Je pose la question, alors que je devine déjà la réponse.

« Si vous aviez eu connaissance de l'infidélité de votre compagnon, vous auriez pu vouloir le punir. Et le tuer. Cela s'est déjà vu. La jalousie a poussé plus d'une femme aux pires extrémités. » L'inspecteur connaît les femmes, ça ne fait aucun doute. Il en parle comme un livre.

« Si vous êtes convaincu de ma culpabilité ou si vous disposez de la moindre preuve, alors il faut m'inculper. Sinon, le mieux, c'est que je rentre chez moi. » La lassitude et l'agacement, parfois, prennent la même forme. Et l'important, c'est d'en terminer maintenant. C'est comme au poker, paraît-il : quand on suppose que l'autre bluffe, il faut surenchérir, et puis abattre ses cartes. J'abats les miennes. Oui, qu'on en finisse.

« Nous n'en sommes pas là. » L'inspecteur n'a pas mieux. Son bluff n'a pas fonctionné. On ne peut pas gagner à tous les coups. Il faut savoir concéder sa défaite.

« Non, le vrai suspect, si cette mort n'est pas un accident, cela reste Leo Bertina. Le sperme relevé sur les muqueuses de votre compagnon, c'est le sien. » Il y a des satisfactions qu'on ne doit pas s'interdire, sans doute, quand on a perdu. Blesser l'autre en est une. Les enfants font ça très bien. L'inspecteur est un enfant.

« Pardonnez-moi : je constate à votre air que vous n'étiez pas au courant, pour cette histoire de sperme. » Existe-t-il une limite à ce que nous sommes capables d'endurer ? À chaque minute, je découvre qu'il m'est, en tout cas, possible de la repousser. Jusque-là, je ne me connaissais pas une telle abnégation, une telle faculté à abjurer toute fierté, ni à accumuler autant de souffrance.

Les parents de Luca, eux, ont forcément été informés de cette « histoire de sperme ». Et ils n'ont rien dit.

Leur honte, je viens de la comprendre.

Leur silence, j'en suis certaine, remonte à plus loin.

À la fin, alors que je rentre chez moi, et malgré le désordre de mes pensées, je suis curieusement frappée par la beauté inaltérable de Florence. Cela me rassure d'avoir la confirmation qu'il est des choses qui demeurent intactes.

Leo

« Et maintenant, si tu me disais comment s'est terminée ta soirée avec Luca Salieri... » L'inspecteur Tonello est persévérant. Sous des dehors de flic désabusé, il ne lâche pas le morceau, ni ses proies. Il a envie que je sois coupable. Disons que ça lui ferait un truc à raconter. Et que ça conforterait sa réputation de conduire rondement et de boucler rapidement ses enquêtes.

Je suis tenté de lui expliquer qu'il faut parfois se méfier des évidences, qu'on a déjà vu trop souvent des coupables indiscutables être blanchis, des innocents éclatants avouer les pires crimes, que des décès ordinaires se sont révélés des crimes presque parfaits et que des morts intrigantes n'étaient, en réalité, que des accidents banals.

Mais il s'y entend pour soulever des lièvres, pour chercher une signification à ce qui n'en a certainement pas, pour pointer des contradictions. On voudrait lui rappeler que la vie elle-même est bourrée de contradictions.

« Luca est parti vers deux heures du matin. Il était censé rentrer chez lui. » À l'instant où j'énonce cette information, avec une sobriété qui confine à la candeur, je me rends compte que Tonello, évidemment, n'y croira pas. Les choses simples sont, selon lui, les plus improbables.

« Seulement voilà, il n'a jamais regagné son domicile. Et il est apparemment tombé d'un pont, juste en bas de chez toi. Shooté aux somnifères. » Bingo ! On est toujours ravi, comblé quand on ne se trompe pas. Au fond, les hommes sont sans surprise. Même les policiers. Surtout eux ?

« Si j'ordonnais une perquisition de ta chambre d'hôtel, je ne dénicherais sûrement pas ce genre de somnifères ?

— Non, mais simplement parce que je n'en ai jamais possédé. Et pas parce que je les aurais fait disparaître, inspecteur, si c'est ça, le sens de votre question.

— Tu ferais un bon flic.

— Je ne crois pas. »

Devient-on intime avec son bourreau ? Peut-on faire ami-ami avec son accusateur ? Éprouve-t-on de la familiarité avec son procureur ?

« Si c'est toi qui l'as balancé, j'espère pour toi qu'il n'y a pas eu de témoins. Tu serais dans un sale pétrin. » La hargne, quand même. Une sorte d'aversion qu'il ne sait pas retenir. Quelque chose comme une répugnance, dans le ton qu'il emploie. Autant l'animosité et la rancœur pour celui qui lui échappe que l'exécration du prostitué.

« S'il est tombé tout seul, j'espère pour vous qu'il n'y a pas eu de témoins. Vous seriez un peu ridicule. » Un peu de moquerie n'a jamais fait de mal. Les persifleurs sont des gens qui retiennent leurs larmes.

« Juste une dernière question, inspecteur. Pourquoi j'aurais tué Luca ?

— La possessivité. Le besoin d'exclusivité. Ou qui sait s'il ne venait pas de t'annoncer son intention de te quitter pour retourner à une vie normale ? La colère, la trahison, ce sont toujours de bons motifs. »

Une vie normale. Décidément, l'inspecteur n'a rien compris.

Livre Trois

Qu'y a-t-il de plus beau que de se retrouver en héros, une fois sa méchanceté commise, sur une route de campagne, dans le matin, quand passent les charrettes ?

Cesare PAVESE,
Le Métier de vivre

Anna

Je n'étais jamais venue à la gare que pour y prendre des trains.

Santa Maria Novella, cela n'a jamais été autre chose pour moi qu'un lieu de départs et d'arrivées, où on presse le pas, en transportant des valises trop lourdes. Cela demeure un endroit de passage, dont je ne vois que la laideur et l'utilité.

Aujourd'hui, je pénètre dans un théâtre. Puisque je sais que des comédies et des tragédies se jouent ici. Puisque j'ai appris, à mes dépens, que c'est aussi un foyer de faux-semblants et que se cache, derrière les apparences, un autre monde.

J'aurais mis longtemps à cesser d'être naïve. Mais c'est précisément à quoi on reconnaît les naïfs : ils ignorent leur état. Et, quand ils en prennent finalement conscience, il est déjà trop tard.

J'ai dû choisir la mauvaise heure. Le grand hall est bondé. Les présentoirs des journaux sont bousculés par des gens visiblement pressés. Les restaurants sont pris d'assaut et répandent une odeur écœurante de hamburgers dégoulinants et de frites grasses. Les annonces au micro se succèdent sans qu'on comprenne rien des indications qui sont fournies. Sur des panneaux démodés, on affiche les retards des trains. Une dame encombrée de bagages se plaint de n'avoir pas été prévenue d'un changement de quai. Des contrôleurs placides répondent à des voyageurs exaspérés. Des adolescents rôdent et promènent leur désœuvrement. Un jeune homme me marche sur les pieds et poursuit sa course sans s'excuser. Une foule zigzague dans un tumulte indescriptible. Cet enchevêtrement paraît préfigurer le chaos. Si, au moins, on était un jour de grand départ en vacances ! Mais non, on est un soir ordinaire. En vérité, ici, toutes les heures sont de mauvaises heures. La pagaille est sans aucun doute une habitude. Et cette anarchie est tout italienne.

Comment débusquer Leo Bertina au milieu de ce fatras ? Comment le repérer dans cette confusion ? Je ne connais même pas son visage.

Je suppose qu'il convient de chercher à l'écart, dans des coins reculés, à l'abri des regards indiscrets, là où le chambardement s'assourdit, où cette incohérence se dissipe un peu. J'imagine un endroit paradoxalement tranquille, où on peut se livrer à un petit commerce sans danger ni encombrement. Mes yeux partent à la découverte de ce territoire impensable. Je furète, en quête d'un eldorado de pacotille.

Mais la meute est décidément trop dense. Elle me ballotte contre mon gré, elle me conserve en son sein, elle se refuse à m'expulser sur les rivages, elle est, si j'ose dire, une mer possessive.

J'ai la tentation de renoncer. Pourtant, je ne me suis pas déplacée jusqu'ici pour renoncer maintenant. Il m'a fallu tant surmonter, pour seulement me trouver là. Ce serait absurde et aberrant de rebrousser chemin. C'est dit : le tumulte environnant n'aura pas raison de mon désespoir ni du désir biscornu qui me pousse.

Leo

Je l'aperçois, la jeune femme des photographies. Elle est là, au milieu de la foule, bousculée, minuscule, vulnérable. Elle porte un imper beige. Une ceinture lui serre la taille. Avec son air désemparé, on ne remarque qu'elle.

Elle n'est pas là par hasard. Ça saute aux yeux, ça se voit tout de suite. Elle n'est pas là pour prendre un train ou pour attendre un voyageur. Elle n'a pas emporté de bagages, elle ne jette même pas un coup d'œil aux horaires affichés. Elle est venue pour moi.

Je n'avais jamais cherché à imaginer cet instant, celui de notre rencontre. D'abord parce que j'ai été pendant longtemps celui qui n'existait pas : notre rencontre était donc inconcevable. Ensuite parce que j'ai présumé qu'elle n'oserait pas se présenter à moi : trop d'orgueil, trop de mépris, ou trop de souffrance. Je me suis trompé.

Elle est là, avec son inquiétude, sa peur et sa rage. Elle pourrait inspirer un peu de pitié.

Mais sa beauté la préserve de l'apitoiement. Son histoire aussi. On dirait qu'elle la trimballe avec elle, son histoire.

On ne remarque qu'elle et, pourtant, je suis le seul à la voir. Autour de moi, les garçons ont la tête ailleurs, ils discutent entre eux, ils mordillent une cigarette, ils aguichent le client, ils s'ennuient. Cette fausse indifférence, c'est une signature.

Et puis, ils n'attendent que les hommes.

Moi, je ne fais pas un seul mouvement. Je reste collé à mon pylône. Je n'ai pas l'intention de l'aider, de lui faire un signe. Il faut qu'elle me repère. Cela fait partie du jeu, je suppose. C'est comme un rite, une initiation.

Un type s'approche de moi, me demande mes tarifs et je perds le visage d'Anna Morante. Je réponds en vitesse, sans m'intéresser au type, qui se tire en grommelant. C'est malin : la jeune femme des photographies a disparu.

La houle ne met pas longtemps à me la redonner. Elle est là, à nouveau. Elle se rapproche. Elle a entrevu que c'est par ici qu'il faut chercher. Que les garçons en jean et tee-shirt ne sont pas des passants ni des passagers. Qu'ils offrent leurs corps comme une promesse. Qu'ils se vendent à qui veut bien les acheter. Que les conciliabules discrets masquent péniblement des discussions sur les prix, des arrangements. Qu'on se dirige par deux vers les toilettes de la gare ou vers les hôtels du voisinage. Elle apprend vite.

Elle nous dévisage les uns après les autres. Elle ne doit rien savoir de moi, de mon apparence, de mon âge. Comment m'imagine-t-elle ? Croit-elle que j'ai la puissance de Francesco, l'adolescence de Sandro, les yeux verts de Vincente, le mystère d'Arturo ? Au contraire, est-ce que je m'impose comme une évidence ?

Non, elle hésite. Elle ne sait pas comment on s'y prend. Elle a la maladresse des ignorants, la gêne des débutants, la honte de ceux qui ne devraient pas se trouver là, et le paradoxe d'être une femme.

Quelle est la part de la frayeur, celle de l'humiliation, celle du ressentiment ? Moi, je salue sa crânerie, son stoïcisme. L'oubli de soi-même.

Anna

Je me décide à aborder l'un d'eux. Je prends ma respiration et je demande au premier dont je parviens à accrocher le regard où je peux trouver Leo Bertina.

Le jeune homme m'observe comme une énigme. Il manifeste une sorte de méfiance. Il est sur le qui-vive, comme si je représentais une menace. Ces gens-là ne doivent pas être du genre à discuter avec des inconnus qui ne leur proposent pas de l'argent.

Comme il tarde à me répondre, je lui indique que je n'appartiens pas à la police, que je ne veux aucun mal à Leo Bertina, que ce qui m'amène est une affaire personnelle.

Ma formule est malheureuse. On se tient naturellement sur ses gardes quand une étrangère vient régler une affaire personnelle avec un prostitué. Cette maladresse me montre telle que je suis. Le jeune homme ne se trompe pas sur ce qu'il imagine. Il suffit souvent d'une phrase pour se trahir.

Alors il me laisse en plan, sans rien me dire,

comme une idiote. Je suis dans une misère absolue. Je n'étais jamais descendue si bas.

« Je suppose que c'est moi que vous cherchez. »

Leo Bertina est incroyablement jeune. C'est cela qui me frappe en premier, sa jeunesse. Il devrait avoir mon âge, celui de Luca. Il paraît avoir vingt ans à peine.

C'est insupportable, cette jeunesse. On ne sait pas lutter contre ça. On n'est pas à armes égales. On est d'emblée dans le déséquilibre. On ne connaît plus les mots, les gestes. On a perdu les réflexes. On va être à côté de la plaque. C'est une distance trop grande, tout à coup, impossible à combler. On a l'impression d'être vieille, démodée, fatiguée.

Cette jeunesse, elle pourrait nous faire croire à une toquade, à une passade. Mais à y regarder de plus près, on voit qu'elle n'est pas fade et qu'à l'inverse elle a du relief. On voit tout ce qui peut retenir l'attention, séduire, accrocher. On voit sa singularité, sa force.

On voit tout ce qu'on n'a pas soi-même. Ce qu'on a perdu. Et ce qu'on n'a jamais possédé.

« Comment m'avez-vous reconnue ?

— Luca m'a montré des photos de vous. »

Son prénom dans sa bouche, prononcé sur un ton familier, comme une injure. Leur intimité dans ce seul prénom. Toute l'étendue de leur intimité. Tout ce qu'ils ont vécu ensemble, et dont j'ai été exclue. Tout ce qu'ils ont traversé, et où je n'étais pas. Son prénom prononcé, comme une mise à l'écart, brutale.

Et cette révélation, aussi, qu'il faut endurer. Leo Bertina connaît mon visage, Luca lui a montré des photos de moi, il sait qui je suis, tandis que j'ignorais jusqu'à son existence, il y a encore quelques jours. Un déséquilibre de plus. Une différence de traitement. Leo Bertina, lui, avait le droit de savoir et moi, celui d'être bafouée.

Quels cataclysmes cela préfigure-t-il ?

Leo

Elle est plus jolie que sur les photographies. L'incarnation lui va bien. La chair, le sang, le rose aux joues, la mobilité de l'armature, la finesse des poignets, l'humidité du regard, la délicatesse du parfum, tout ça rend la beauté incontestable.

Elle est plus fébrile aussi. La peau frémit, les paupières sont agitées, les mouvements ne sont pas tous contrôlés, la voix n'est pas assurée. Elle est terriblement humaine. Elle a perdu sa placidité. Cette tranquille assurance.

« Moi, j'ignore tout de vous. Votre nom, je l'ai découvert par hasard. Après, ça s'est enclenché tout seul, sans que j'aie rien eu à faire ou presque. Je n'aurais rien pu arrêter, sans doute, même si je l'avais voulu. Mais je ne sais pas pourquoi je vous raconte ça. »

L'affolement et l'égarement. Ce sont les deux mots qui me viennent spontanément à l'esprit. Ils sont les signaux de son malheur.

Autour de nous, les garçons nous observent sans véritablement deviner ce qui survient. Ils n'éprouvent aucune curiosité malsaine, ni même aucun intérêt ou aucune compassion. C'est juste pour eux un spectacle un peu étrange, un dérangement passager, et une occupation comme une autre dans une journée marquée une fois de plus par l'ennui. Ils forment un ballet lent et inoffensif.

« Tous ces gens font le même métier que vous ? »

J'emmène Anna un peu à l'écart de notre groupe. Pour ça, je la prends par le bras. C'est notre premier contact et son premier réflexe est de se cabrer, de refuser ce contact, de retirer son bras. Curieusement, j'y vois davantage un réflexe de classe que la manifestation d'une antipathie. Je ne crois pas qu'Anna Morante me déteste. Simplement, je n'appartiens pas à son monde.

« Oui, c'est un métier presque comme un autre, vous savez. Ces gens, comme vous les appelez, ne sont pas différents de vous. »

Je veux juste la mettre face à son mépris, face à sa haine de caste, lui rappeler qu'avec ses beaux vêtements, ses cheveux tirés en arrière, ses ongles impeccables, elle ne vaut pas mieux que moi, avec ma chemise ouverte, ma tête ébouriffée, et mon odeur de transpiration.

« Pardon, mon intention n'était pas de vous blesser. Je me renseignais, c'est tout. »

Et c'est sûrement vrai. Mais ça ne change rien. Nous ne sommes pas des animaux de laboratoire, des sujets d'observation. Nous ne sommes pas davantage indifférenciés. Je n'aime pas qu'on nous mette tous dans le même panier, comme une portée de chats nouveau-nés qu'on balance à la rivière.

« Maintenant que vous êtes renseignée, il y a quelque chose que je peux faire pour vous ? »

Anna

Cette rudesse, cette rigueur, cette manière de ne pas s'en laisser compter, ça aussi c'est insupportable. Pour qui se prend-il ? Je viens vers lui, je fais ce mouvement qui me coûte au-delà de ce que je sais exprimer avec des mots simples et il m'accueille avec un dédain et une arrogance qui donnent envie de le gifler.

Je ne lui demande rien, sauf qu'il ne me rende pas la tâche encore plus difficile. Je n'espère ni gentillesse ni familiarité mais, à notre manière, nous pourrions être des compagnons d'infortune. Après tout, nous avons tous les deux perdu celui qui comptait. Et il se trouve que c'est une seule et même personne.

Qu'est-ce que Luca pouvait lui trouver ?

Qu'est-ce qui a pu le séduire ? Est-ce que c'est cette sensualité qu'il transporte en bandoulière, qu'il arbore comme un trophée ? Ce balancement des hanches qui trahit le professionnel ? Ces muscles ridicules supposés nous émoustiller ? Ces œillades mercantiles ? L'air qui vibre autour de lui ? Le côté bravache ?

Jusqu'à quel point le danger nous attire-t-il ? Ou alors nous dirigeons-nous vers ce qui nous est le plus étranger ?

« En fait, je voulais juste vous rencontrer, savoir à quoi vous ressembliez. Ça doit vous paraître curieux. Malsain, sans doute. »

Dire la vérité, avouer ce besoin peut-être pervers, cette nécessité masochiste. Puisque c'est ça, au fond : j'ai fait tout ce chemin pour voir sa tête, et pour avoir mal, et pour ne pas mourir imbécile. Je ne suis pas certaine, à ce stade, que l'imbécillité me sera épargnée.

Il faudrait que j'essaie de décortiquer ce désir tortueux, cette exigence infamante. Pourquoi vouloir faire la connaissance de son pire ennemi ? contempler la preuve vivante qu'on a bien été trahie ? chercher un visage au mensonge ? donner un corps au délit ?

Il faudrait encore que je sache d'où me vient ce souci de m'infliger la souffrance, ce choix de me torturer moi-même, de me supplicier. Si des médecins se penchaient sur mon cas, concluraient-ils à ma démence ? me conseilleraient-ils l'internement ?

Je suppose que, comme toujours chez moi, savoir l'emporte sur toute autre considération

L'ignorance, le mystère, ça n'est décidément pas pour moi. Je n'aurais pas supporté de vivre, en sachant que je n'aurais pas entrepris toutes les démarches possibles pour approcher celui à qui je dois mon malheur.

Pourtant, c'est injuste de désigner Leo Bertina de cette manière. Celui à qui je dois mon malheur, c'est Luca. Mais cela, c'est impossible à formuler.

Leo

Ça oui, alors, ça me paraît malsain.

Quelle drôle d'idée, tout de même ! Il faut être bizarrement constitué pour effectuer une démarche pareille ! Il faut déjà être capable d'accepter une sacrée dose d'humiliation. Et il faut être très désespéré. Ce qu'Anna Morante accomplit, c'est le geste d'un suicidaire.

Et puis, ça ne sert à rien. C'est condamné à l'échec, dès le commencement. Ça ne peut rien produire de bon. On rentre forcément chez soi, après, avec de l'amertume, de l'aigreur, et on est un peu plus désemparé. Ça a quelque chose de fascinant, les gens qui courent à leur perte. Mais c'est un spectacle dont je me serais bien passé.

« Et maintenant que vous avez vu à quoi je ressemble, vous comptez faire quoi ? »

Je ne souhaite pas la violenter, mais les mots viennent tout seuls ; leur brutalité, elle vient avec. Je préférerais qu'Anna ne souffre pas.

Après tout, je n'ai rien contre elle. Mais ça devient gênant, cette présence morte, ces bras ballants, cette pauvreté malgré l'apparence. Le mieux, c'est encore de la secouer. Et puis, moi, je n'ai jamais bien su me débrouiller avec les femmes.

« C'est vous qui avez raison, bien sûr. Tout ça est un peu sordide, un peu pathétique. »

On prétend que c'est le premier aveu le plus difficile. Elle, elle les enchaîne. C'est effrayant, cette mortification. Ça me rappelle ce que les curés nous enseignaient au catéchisme. Mon père m'avait prévenu. C'étaient toujours des histoires terribles, avec des couronnes d'épines, des saintes éplorées, des espoirs de rédemption. J'avais toujours envie de pleurer à la fin.

« Je peux faire quelque chose pour vous ? »

C'est sorti, sans que j'y réfléchisse. Le catéchisme, finalement, ça m'aura servi à quelque chose, papa.

Elle m'observe, sans savoir ce qu'elle doit dire. Et moi non plus, je ne sais pas ce qu'elle va dire. Elle pourrait tout aussi bien me cracher au visage ou s'effondrer entre mes bras. La tension est palpable entre nous, elle est faite de dépit et de chagrin. On sent qu'Anna Morante est prête à tous les abandons, à toutes les redditions. Qu'elle est arrivée au bout de quelque chose, à une extrémité. Qu'elle doit déposer son bagage, qu'elle n'ira pas plus loin.

Ses yeux s'emplissent lentement de larmes. Sa lèvre inférieure frémit. Ses mâchoires se serrent et disent ses efforts. Et puis, les larmes coulent calmement, et dans le silence. C'est la gare, le tumulte de la gare. Autour de nous, les gens filent sans nous apercevoir, sans nous prêter attention. Plus loin, les garçons regardent ailleurs, et nous laissent tranquilles. Elle est courbée devant moi, mes bras pendent le long de mon corps, nous ne nous touchons pas. Elle pleure.

Anna

C'est trop bête. Je m'étais promis que ça n'arriverait pas. La dernière fois que j'ai pleuré, j'avais quoi ? dix ans ? Je ne suis pas ce genre de fille. Je ne m'en gargarise pas. C'est comme ça, c'est tout. Il y a des filles qui pleurent, et d'autres non. Moi, c'est non.

Lui, il ne dit rien. Il reste comme ça, à ne rien dire. Mais j'aime autant. Sa pitié, ce serait le pompon. Une accolade, ce serait déplacé. Du coup, on n'a pas grand-chose à lui reprocher. Ce serait sûrement plus simple s'il était grossier, s'il énonçait des horreurs. Finalement, je lui serais presque reconnaissante de sa frugalité.

« Vous êtes gentil, mais non. Je me rends compte que je n'aurais peut-être pas dû venir. Mais vous comprenez, n'est-ce pas ? »

J'ai l'intuition qu'il comprend, en effet. Dans une « vie normale », nous ne nous serions pas rencontrés, lui et moi. Mais puisque le hasard, appelons Luca comme ça, nous a placés sur la même route, il faut admettre que nous pouvons nous comprendre. Je n'ai pas dit « nous entendre ». Tous les deux, nous savons de quoi nous parlons, de qui. Bien sûr, il reste un gouffre entre nous et des ombres nous séparent. Mais nos désarrois se ressemblent. Et nos bonheurs passés, s'ils n'avaient assurément pas le même goût, avaient sans doute la même intensité. Cette proximité que nous éprouvons, chacun à sa manière, c'est celle des accidentés qu'on fait patienter aux urgences des hôpitaux.

« Oui, un peu. C'est juste que tout ça me dérange. Vous. Ici. Moi. C'est étrange, quoi. »

Dans son presque bégaiement, je trouve soudain tout ce qui a pu séduire Luca. Dans ce peu de mots, cette hésitation, cette humilité tout à coup, j'entrevois ce qui a plu à Luca. Je n'en suis pas émue parce que ce type d'émotion n'est tout simplement pas envisageable, mais je suis éclairée. C'est comme une réponse. Les larmes sont ravalées.

Nous nous tenons debout, l'un face à l'autre. L'urgence ne s'est pas interrompue. On respire encore cette odeur nauséabonde de viande hachée bon marché. De vieux messieurs en costume sombre continuent de tourner autour d'anciens adolescents reconvertis en bons samaritains du sexe rapide. Notre planète tourne toujours. Mais mon horloge à moi s'est momentanément arrêtée. Il faudra un peu de temps avant que les aiguilles reprennent leur course vaine.

« Je ne vais pas vous embêter plus longtemps. Vous avez sûrement des choses à faire. »

En réalité, nous avons tous mieux à faire. Et, pour commencer, tenter précisément de revenir dans la grande photographie du monde, reprendre notre place dans la foule, réapprendre à marcher au même pas qu'elle.

« Si, tout de même, il y a une chose que j'aimerais vous demander, avant de partir. Vous avez le droit de ne pas me répondre, évidemment. Vous avez vraiment fait chanter un homme ? »

Leo

Encore heureux que j'aie le droit de ne pas lui répondre !

C'est extraordinaire, ces gens qui veulent tout savoir, qui ne peuvent pas s'empêcher de nous cuisiner, ces gens qui abandonnent toutes leurs bonnes manières, juste pour ne pas rester seuls avec leur malédiction. On est là, on est prêt à se laisser attendrir, et voilà qu'ils se mettent à fouiller dans nos affaires, à triturer notre intimité.

Je suppose que Tonello a parlé, qu'il m'a balancé, qu'il lui a servi cette histoire vieille de deux ans, qu'il lui a flanqué la trouille, qu'il lui en a dit juste assez pour qu'elle s'imagine le pire. Je le vois de là, notre limier, en train de distiller son poison. Et elle qui n'en perd pas une goutte. Elle qui consent à ce supplice.

Je devine sans difficulté toutes les fables qu'elle a dû s'inventer. Ça doit être bien sordide, tout ça. Bien sale. Et, du coup, je prends conscience qu'elle me considère depuis le début comme un être malfaisant, répugnant, qu'elle me soupçonne des pires turpitudes. Si ça se trouve, elle n'a pas éprouvé un instant une manière de proximité. Ce n'est pas du courage qu'elle a manifesté, c'est de la haine, c'est du dégoût. Elle est venue voir la tête que ça a, un coupable, un méchant.

Ce serait facile de lui renvoyer son mépris, son écœurement. Quelquefois, il ne faut pas refuser la facilité. Mais je suis trop con. Je continue de croire que la douleur, ça exonère. Je n'ai pas tout oublié, de mon enfance communiste, ni des leçons des curés !

« Je me suis borné à lui rendre la monnaie de sa pièce. »

Et elle, elle devra se contenter de cette formule énigmatique. Après tout, je ne suis pas là pour étaler ma vie, ni pour justifier mon passé. Je n'ai pas de comptes à rendre. Les comptes, je les ai déjà rendus.

Et puis que comprendrait-elle à une misérable affaire de violence ? Que sait-elle des hommes qui vous forcent, parfois, à faire ce que vous n'avez pas envie de faire ? Que sait-elle d'un corps qui se débat, des mains qui battent l'air, qui tentent de griffer, des poings qui se ferment pour donner des coups, des jambes qui se soulèvent ? Que sait-elle de l'écrasement, et de l'acharnement ? Elle n'était pas là pour entendre mes hurlements, et plus tard mes halètements, les soupirs de la colère et de l'épuisement.

Il y a des vengeances qu'on ne doit pas s'interdire. Il y a des hommes qu'on a raison de vouloir faire souffrir. Ceux-là, il faut les attaquer du côté de leur honneur, de leur prétendue respectabilité. Pas question de les laisser en repos, avec leur fausse bonne conscience. J'ai fait ce que j'avais à faire.

« Cette histoire n'a rien à voir avec ce qui vous occupe aujourd'hui, si ça peut vous rassurer. »

Je dis « rassurer », mais, au fond, elle devrait être sacrément inquiète. Il vaudrait mieux pour elle qu'il y ait eu de la violence entre Luca et moi, ou même un petit commerce, ou juste une question de sexe.

Si je lui parlais de désir et de nécessité, elle serait anéantie.

Si je lui parlais d'amour, elle serait balayée.

Anna

J'entends le mot « rassurer » et il me frappe comme une incongruité, comme une insulte.

Mesure-t-il, du haut de ses vingt ans, que je m'inflige toutes les tortures, que j'affronte toutes les hypothèses ? Que mon chemin est un calvaire ? Qu'il me faut remettre en cause tout ce sur quoi j'avais construit mon existence ? Que toutes mes certitudes se sont évanouies et qu'il ne me reste que les controverses, les suppositions, les abominations ?

Comment espérer être rassurée quand on fait face à la dissimulation, à la trahison peut-être ? Comment être tranquille quand on reçoit en héritage l'ambiguïté, l'équivoque, l'obscurité ? Comment ne pas trembler quand tout paraît aléatoire, brouillé, chancelant, suspect ?

Comment croire au présent quand on n'est même pas sûre de ses souvenirs ?

Qui me dit que Luca n'a pas songé à me quitter ? Que sa mort elle-même n'était pas une façon de mettre un terme à cette hypocrisie gigantesque ?

Qui est capable de m'affirmer que je n'ai pas à redouter des révélations épouvantables, des murmures désobligeants, des spéculations honteuses ?

Non, Leo Bertina ne me rassure pas.

« Je m'en doutais mais je préfère en être sûre. »

Je réponds à retardement. Je réponds par un mensonge. Je sais que ce mensonge est patent, qu'il est impossible de ne pas le détecter. Mon interlocuteur fait semblant de ne pas le remarquer. Toutefois ses efforts sont aussi visibles que ma fausseté. Notre incompatibilité est flagrante, mais elle nous neutralise.

Dans le seul but de ne pas m'effondrer, là, devant lui, je m'oblige brusquement à penser à Luca, mais à un Luca sans tache, transparent, idéal. Je veux me rappeler seulement le jeune homme qui me souriait, qui ne m'offrait pas de fleurs, qui s'endormait dans mon cou, celui, intarissable, qui me rapportait les exploits de la Fiorentina, celui encore qui prenait ma main et m'entraînait dans des courses inutiles au milieu des jardins de Boboli.

Je vois son visage, je le vois très distinctement. Tout à coup, l'ombre s'empare de ce visage. Lorsque la lumière revient, je n'entrevois plus qu'une purulence verdâtre, des paupières closes. des cheveux humides collés sur ses joues.

Je songe que l'énigme de sa mort est ce qui me divertit du mystère de sa vie.

À l'instant de prendre congé de Leo Bertina pour de bon, je ne peux pas me retenir de lui poser, sans l'avoir réellement prémédité, une dernière question, peut-être encore plus saugrenue que la précédente : « Vous croyez, vous, que Luca a pu se suicider ? »

Leo

À la façon dont elle formule son interrogation, dont elle répète le « vous », je suppose qu'elle écarte la thèse du suicide. Elle connaît Luca par cœur. Elle conçoit forcément que cette piste n'est pas plausible, qu'elle est même tout à fait farfelue, qu'il ne peut pas avoir attenté à ses jours. En posant malgré tout la question, elle tente de faire coup double : elle affirme son intimité avec le disparu et elle évalue la mienne. Je ne lui en veux pas. À sa place, j'aurais fait pareil.

Ou alors, parce que ses croyances ont été ébranlées, elle est saisie d'un doute affreux. Parce qu'elle a perdu l'entièreté de ses repères, elle cherche sa route. En insistant sur le « vous », elle cherche à épuiser toutes les hypothèses. C'est peut-être aussi sa manière à elle de ne pas se faire avoir une fois de plus.

Si elle en est là, ça signifie qu'elle est plus avancée que moi dans la souffrance. Car douter, c'est miser sur le malheur de Luca.

C'est considérer qu'il n'était pas heureux. Qu'il n'était pas heureux *avec nous deux*.

C'est supposer qu'il était empêtré dans une sorte de culpabilité ou de remords, qu'il se sentait une obligation de sortir des faux-semblants, qu'il avait choisi de ne plus cheminer sur ses routes parallèles.

« Non, bien sûr. Je suis comme vous : je n'y crois pas. »

Je veux lui dire que nous portons le même deuil, mais chacun à notre manière. Et la ramener dans le réel, chasser ses fantasmes. Je ne sais pas pourquoi je fais cela, la ménager. Nous ne sommes rien l'un pour l'autre, finalement. C'est sans doute qu'une ombre plane sur nous deux, et nous connaissons son identité.

« Et puis, s'il s'était suicidé, il aurait laissé une lettre, une trace, vous ne pensez pas ? »

Trouver le détail qui sonne juste, l'argument qui convainc, la martingale. Comme les gens ordinaires, en appeler au bon sens. Parler avec l'intonation de l'évidence, et celle de la complicité.

Là encore, cela m'échappe. Car je ne suis redevable de rien à Anna Morante. Je ne voudrais pas que cette compassion donne l'impression d'excuser une faute. Je n'ai commis aucune faute. Je suis innocent de ce qu'on me reprocherait.

« Vous savez, j'ai appris à mes dépens que Luca était capable de ne pas laisser de traces, et que le silence lui convenait plutôt. »

Imparable. Imbattable.

Il y a des phrases parfois qui laissent sans voix, ou qui font plier les genoux. Et qui vous font regretter celles que vous avez prononcées juste avant.

Il y a des phrases dites tranquillement, sans hausser le ton, et qui résonnent comme un coup de tonnerre.

Il y a des phrases qui, sans en avoir l'air, expriment une détresse indépassable et une fureur trop longtemps contenue.

Il y a des phrases qui restent en suspension et qui immobilisent la foule autour d'elles.

Dans Santa Maria Novella figée, je regarde Anna Morante.

Anna

Moi, je ne regrette pas ce que j'ai dit.

Il va me prendre pour une fille rancunière. Mais aura-t-il vraiment tort ?

Je relève le col de mon imperméable. Je protège ma nuque des rafales qui s'engouffrent régulièrement dans ce hall ouvert à tous les vents. Je serre ma ceinture autour de ma taille. Je prépare mes adieux.

« Cette fois, je m'en vais vraiment. Je vous laisse à ce que vous avez à faire. »

Il n'y a pas de malignité dans mon propos. Je ne cherche pas à blesser. À un certain degré d'épuisement, on perd le sens de la réplique. Et on ne devrait pas être soupçonné de mauvaises intentions. Pourtant, je devine que ma remarque peut être mal interprétée. Au noir de son regard, à la fermeture soudaine de tout le visage, à la disparition de la lumière, je comprends qu'elle l'a été.

« Ce que j'ai à faire, c'est rejoindre mes camarades. C'est mon monde. »

Je ne sais rien de ce monde-là. Seulement que Luca y avait trouvé sa place. Et lui, Leo Bertina, il sait cela : que je ne sais rien. Il sait ce qui m'échappe. Il a les clés d'un mystère qui demeurera pour moi, et pour toujours, indéchiffrable.

Je vois Leo repartir vers les hommes jeunes. L'un d'eux lui tend une cigarette, en porte une à ses lèvres et allume les deux. Il fait ce geste qui les rapproche instantanément, et qui m'exclut définitivement. Je vois leur familiarité rugueuse. Il me semble que celui qui a offert la cigarette a le visage de Luca, ses épaules rondes.

Alors, d'un coup, il me faut admettre que son énigme, celle de Luca, ne m'est pas apparue quand j'ai lu le nom d'un inconnu sur la première page d'un livre rangé dans sa bibliothèque. Je comprends, en un dixième de seconde, qu'elle est apparue, il y a longtemps, qu'elle s'est installée progressivement, qu'elle s'est insinuée, qu'elle a grandi entre nous comme une vilaine maladie, une tumeur aux formes monstrueuses. Au fond, je l'ai laissée venir entre nous, en me refusant à la considérer, à la nommer. Elle a été là, un jour, mais j'ai détourné les yeux. Aujourd'hui, c'est elle qui me regarde. Elle a l'apparence d'un jeune prostitué.

Oui, en un dixième de seconde, tout ce que j'ai enfoui surgit. Cette cendre rougie rallume en moi des incendies mal éteints.

Leo se retourne une dernière fois avant que la foule m'engloutisse. Dans son air, il n'y a ni pitié, ni mépris. Il a la tranquillité des voyageurs au moment où le bateau qui les emmène largue ses amarres.

En sortant, sur le côté de la gare, j'aperçois un homme sans âge qui se faufile dans le cinéma porno. Je pense qu'il a vraisemblablement une femme, des enfants. Ce soir, quand il reviendra chez lui, il ne dira pas un mot de son escapade. Je pense que tout le monde a ses petits secrets.

Livre Quatre

La chose le plus secrètement redoutée arrive toujours.

Cesare PAVESE,
Le Métier de vivre

Leo

Autour de moi, les hommes forment une ronde. Ils marchent lentement, le regard en coin. Ils soupèsent, ils spéculent, ils négocient déjà. Moi, je ne fais rien, je les laisse tourner. J'attends que l'un d'entre eux se décide à s'approcher pour me demander mon prix. Je suis abordable.

Le spectacle de la gare est immuable. Presque rituel. Ici, je me trouve en terrain connu et rien ne peut me surprendre.

Je n'ai pas « repris » mes habitudes puisque je ne les avais jamais abandonnées. Mais j'ai repris ma place. Elle m'attendait.

Le jeune flic est passé tout à l'heure. Il m'a appris que Tonello avait choisi de classer l'affaire puisqu'il ne disposait pas des éléments qui lui auraient permis de conclure à un suicide ou à un meurtre. Je n'en ai même pas été soulagé. Je crois que tout ça n'a pas d'importance. C'est Tonello qui doit être déçu.

Ainsi la mort de Luca est accidentelle. Après tout, nos vies le sont aussi.

Le jeune flic avait envie de passer un moment avec moi : ça se voyait à l'expression un peu implorante de ses yeux, à la nervosité de ses gestes, au rythme saccadé de ses phrases, à sa brusquerie qui n'était que de la maladresse, à sa fausse assurance, au pauvre prétexte qu'il avait trouvé pour venir me parler, à sa difficulté à repartir. Mais je ne me suis pas senti capable de répondre à sa demande muette. Il faut ne ressentir aucune tendresse pour embarquer un client.

Lorsque je suis rentré, un peu plus tard, à mon hôtel, j'ai bêtement espéré trouver Luca dans ma chambre. C'était la première fois que ça m'arrivait. Je me suis souvenu que, certains soirs, il était là lorsque je rentrais, que nous nous embrassions en silence. Je me suis souvenu que nous ne nous disions jamais rien de ce que nous éprouvions l'un pour l'autre parce que nous savions que c'était une vérité établie une fois pour toutes, indiscutable.

Je me suis souvenu de la lenteur, oui, des gestes lents, et puis des abandons.

Maintenant, j'observe le néon de l'hôtel Solferino qui clignote. La nuit est glaciale. Cet automne ressemble à l'hiver. Les draps sont froids.

Le fleuve gronde et charrie des cadavres en contrebas. Il emporte avec lui les belles années En rapporte-t-il aussi parfois ?

Je sais que le sommeil, une fois de plus, tardera à venir mais je m'endormirai avec le visage de Luca. Et, demain, je me réveillerai avec lui.

Anna

J'ouvre grands les volets de la maison de San Donato, que j'avais fermés l'été dernier. Les fenêtres laissent entrer les champs d'oliviers, les terres jaunes. La Toscane ne change pas. Ses paysages sont façonnés d'éternité.

Les gens du village, qui ont appris *la* nouvelle, me font l'effet de contempler mon malheur. Certains ont pour moi les attentions qu'on manifeste habituellement aux handicapés. L'enveloppe de mon chagrin suffit à dissuader les autres de m'aider. Mon désespoir paraît si grand qu'il pourrait finir par décourager les bonnes volontés, et même par effrayer. J'observe des passants qui tentent un mouvement vers moi, puis qui reculent et renoncent.

Dans la solitude de la maison, je me couche contre les pierres. Je me recroqueville dans le froid.

Je perds mon visage. L'éclat des yeux se liquéfie. Les traits se creusent. Les lèvres s'estompent. Le teint devient vitreux. Dans le miroir, je contemple la blancheur d'un cadavre.

Ce sont les questions qui me maintiennent en vie, celles que je me répète inlassablement. Puisque Luca m'a menti à propos de Leo, pourquoi n'aurait-il pas menti à propos de tout le reste ? Et si tout avait été feint ? Si rien n'avait été sincère ? Et si notre existence à deux n'avait été qu'une misérable mascarade ? Si elle n'avait été qu'une pièce où j'aurais tenu un rôle ? J'ai été bernée. Pourquoi n'aurais-je pas été manipulée ? utilisée ?

Et cette façon qu'il avait de ne pas répondre à mes « je t'aime », et ce refus de s'engager, de partager un même toit, et le téléphone qui sonnait dans le vide certains soirs, cela signifiait-il que l'essentiel, pour lui, était ailleurs ?

Aussitôt que j'ai énoncé cela, bien sûr, je m'en veux, comme si ce que je faisais, c'était insulter sa mémoire, attenter à ce qu'il a été. Je ne m'en sortirai pas, évidemment. On m'a soumis une équation impossible à résoudre.

Je suis absolument démunie. Voilà ce que je suis, cela et rien d'autre. Je suis dans la pauvreté de qui n'a plus rien, de qui ne sait plus rien, de qui a perdu jusqu'à ses ultimes certitudes. J'ignore toutes les réponses et je ne suis même pas convaincue de poser les bonnes questions. Je suis dans la plus grande des dépossessions. Cette confusion-là mène-t-elle à autre chose qu'à la démence ?

Avoir tout eu et avoir tout perdu, ça n'est pas

encore assez. Il a fallu que j'apprenne que tout ce que je croyais à moi était peut-être factice, et, en tout cas, bâti sur du sable.

La campagne de Toscane peut-elle me sauver ? Les derniers assauts d'un soleil estompé peuvent-ils me sauver ?

Au bar-restaurant du village, où il ne subsiste que quelques vieillards et des joueurs de cartes, un homme jeune encore, et que je n'ai jamais vu, m'adresse un sourire. Il a une assurance agaçante et la retenue de celui qui attend son heure. Moi, je me demande si on peut refaire sa vie.

Luca

L'air était doux encore, même à cette heure avancée de la nuit. Pourtant, nous allions perdre l'été.

Aux abords du Ponte Vecchio, un ivrogne flamboyant hurlait qu'il fallait sans délai restaurer la monarchie. Non loin de là, quelques jeunes gens se déplaçaient en bande et paraissaient former une farandole. Au coin d'une rue, un garçon essayait mais sans succès de faire démarrer son scooter. À la terrasse d'un café, on congédiait mollement les derniers clients avant de rentrer les tables à l'intérieur. Un peu partout, des lampions s'éteignaient. La ville s'enfonçait lentement dans la nuit et les bruits me parvenaient de plus en plus amortis.

Via Toscanella, un pharmacien se préparait à tirer le rideau de son officine. Juste avant qu'il ne ferme boutique, je lui ai acheté une boîte de somnifères. Le vin que j'avais bu avec Leo me faisait tourner la tête et je craignais de ne pas trouver le sommeil.

Sur la boîte, il était mentionné que les somnifères faisaient effet au bout d'une demi-heure. C'était plus qu'il ne m'en fallait pour rentrer chez moi. J'ai avalé quatre comprimés, jeté le reste dans la première poubelle. J'aurais dû faire plus attention : la dose habituellement prescrite par les médecins ne dépassait pas un comprimé.

Assez vite, les ombres autour de moi se sont mises à vaciller, les lumières des lampadaires ont été saisies de curieux balancements, les noms des rues sont devenus imprécis, et j'ai senti que mes jambes fléchissaient.

Mais ce n'était pas une sensation désagréable, même si je devinais que l'alcool et les somnifères, les deux en abondance, ne faisaient pas bon ménage et que ce curieux mélange devait être responsable de mes vertiges et de ces sortes d'étourdissements.

J'avançais dans la ville, comme un somnambule, hilare et heureux, insouciant des rumeurs du monde. J'aimais bien cet état de griserie et de somnolence. Ma fatigue était joyeuse.

Je pensais à Leo, qui m'avait ramené à mes premières amours, je pensais à nos étreintes, à son baiser sur la veine de mon cou, à son sourire. Un vent léger faisait vibrer mon corps. J'aurais voulu que cet instant dure toute la vie.

Arrivé sur le ponte Santa Trinita, je me suis penché pour contempler le bouillonnement du fleuve. Les eaux étaient noires et brillantes. Je suis resté plusieurs minutes ainsi, tendu vers le vide, cherchant un peu de fraîcheur dans les éclaboussures, et le visage d'Anna dans les reflets.

Au bout d'un moment, je me suis rendu compte que j'étais absolument seul. Sans l'avoir vraiment décidé, je me suis hissé sur le parapet. J'ai soulevé mes bras à la perpendiculaire de mon buste : avec la tête que j'ai, je devais ressembler, pour de bon, à un christ en croix. J'ai marché le long du parapet, à la manière d'un funambule. Je ne me suis pas aperçu que le rebord était glissant.

C'est trop bête : j'ai perdu l'équilibre.

Cet ouvrage reproduit par procédé photomécanique
a été achevé d'imprimer sur les presses de

BUSSIÈRE

GROUPE CPI

à Saint-Amand-Montrond (Cher)
en janvier 2005

POCKET - 12, avenue d'Italie - 75627 Paris Cedex 13
Tél. : 01-44-16-05-00

— N° d'imp. : 50148. —
Dépôt légal : janvier 2005.
Suite du premier tirage : février 2005.

Imprimé en France